APPROCCIO DI DATA MINING BASATO SULLO STREAM MINING

UN APPROCCIO BASATO SULLO STREAM MINING PER UN AMBIENTE DINAMICO UTILIZZANDO L'ALGORITMO K-MEANS++

ScienciaScripts

Cover image: www.ingimage.com

This book is a translation from the original published under ISBN 978-620-7-46662-7.

Publisher:
Sciencia Scripts
is a trademark of
Dodo Books Indian Ocean Ltd. and OmniScriptum S.R.L publishing group

120 High Road, East Finchley, London, N2 9ED, United Kingdom
Str. Armeneasca 28/1, office 1, Chisinau MD-2012, Republic of Moldova, Europe

ISBN: 978-620-7-27231-0

SHYLAJA S

APPROCCIO DI DATA MINING BASATO SULLO STREAM MINING

1 INTRODUZIONE

1.1 INTRODUZIONE AL DATA MINING

Il processo di data mining consiste nell'estrarre informazioni utili da grandi database ed è un processo non banale di identificazione di modelli validi, nuovi, potenzialmente utili e comprensibili nei dati. Le attività di data mining utilizzano due categorie principali: attività predittive e descrittive Le attività di data mining descrittive caratterizzano le proprietà generali dei dati presenti nel database. I compiti di data mining predittivi eseguono inferenze sui dati attuali per fare previsioni. In generale, il data mining (talvolta chiamato data discovery o knowledge discovery) è il processo di analisi dei dati da diverse prospettive e la loro sintesi in informazioni utili che possono essere utilizzate per aumentare i ricavi, ridurre i costi o entrambi. Il software di data mining è uno dei tanti strumenti analitici per l'analisi dei dati. Consente agli utenti di analizzare i dati da diverse dimensioni o angolazioni, categorizzarli e riassumere le relazioni individuate. Tecnicamente, il data mining è il processo di ricerca di correlazioni o modelli tra decine di campi in grandi database relazionali.

La fase di data mining interagisce con un utente o con una base di conoscenza. Esistono diversi archivi di dati su cui è possibile eseguire l'estrazione. I principali archivi di dati sono: database relazionali, database transazionali, database di serie temporali, database di testo, database eterogenei e database spaziali. L'obiettivo del data mining è estrarre la conoscenza da un insieme di dati in una struttura comprensibile all'uomo. Il data mining è l'intero processo di applicazione di metodologie informatiche, comprese nuove tecniche per la scoperta della conoscenza, a partire dai dati. I database, i documenti di testo, le simulazioni al computer e le reti sociali sono le fonti di dati per il data mining.

Dati, informazioni e conoscenze

Dati: I dati sono fatti, numeri o testi che possono essere elaborati da un computer. Oggi le organizzazioni accumulano grandi e crescenti quantità di dati in diversi formati e in diversi database. Questi includono:

• Dati operativi o transazionali come vendite, costi, inventario, buste paga e contabilità.

• dati non operativi, come le vendite del settore, i dati previsionali e i dati macroeconomici

• meta-dati: dati relativi ai dati stessi, come la progettazione logica del database o le definizioni del dizionario dei dati.

Informazioni: I modelli, le associazioni o le relazioni tra tutti questi dati possono fornire informazioni. Ad esempio, l'analisi dei dati delle transazioni dei punti vendita al dettaglio può fornire informazioni su quali prodotti vengono venduti e quando.

Conoscenza: Le informazioni possono essere convertite in conoscenze sui modelli storici e sulle tendenze future. Ad esempio, le informazioni sintetiche sulle vendite dei supermercati al dettaglio possono essere analizzate alla luce delle iniziative promozionali per fornire conoscenze sul comportamento d'acquisto dei consumatori. In questo modo, un produttore o un rivenditore potrebbe determinare quali sono gli articoli più suscettibili alle iniziative promozionali.

Magazzini dati: I notevoli progressi nell'acquisizione dei dati, nella potenza di elaborazione, nella trasmissione dei dati e nelle capacità di archiviazione stanno consentendo alle organizzazioni di integrare i loro vari database in data warehouse. Il data warehousing è definito come un processo di gestione e recupero centralizzato dei dati. Il data warehousing, come il data mining, è un termine relativamente nuovo, anche se il concetto stesso esiste da anni. Il data warehousing rappresenta una visione ideale del mantenimento di un archivio centrale di tutti i dati organizzativi. La centralizzazione dei dati è necessaria per massimizzare l'accesso e l'analisi da parte degli utenti. I notevoli progressi tecnologici stanno rendendo questa visione una realtà per molte aziende. Inoltre, i progressi altrettanto significativi del software di analisi dei dati consentono agli utenti di accedere liberamente a questi dati. Il software di analisi dei dati è il supporto del data mining.

Data mining: Il software di data mining è uno dei numerosi strumenti analitici per l'analisi dei dati. È il processo di analisi dei dati da diverse prospettive e di sintesi in informazioni utili che possono essere utilizzate per aumentare le entrate, ridurre i costi o entrambi i lavori che il data mining può fare.

TIPI DI DATA MINING

• **Scoperta di regole di associazione**

• **Classificazione**

• **Raggruppamento**

• **Scoperta del modello sequenziale**

• **Rilevamento e previsione della deviazione**

• **Regressione**

Scoperta di regole di associazione:

Nell'ambito del data mining, l'apprendimento delle regole di associazione è un metodo popolare e ben studiato per scoprire relazioni interessanti tra variabili in grandi database. Il suo scopo è identificare regole forti scoperte nei database utilizzando diverse misure di interesse. Trova modelli frequenti, associazioni, correlazioni o strutture causali tra un insieme di elementi o oggetti in database transazionali, database relazionali e altri archivi di informazioni. Una regola di associazione serve a scoprire le regolarità tra i prodotti nei dati delle transazioni su larga scala registrati **dai** sistemi POS (Point-of-Sale). Le regole di associazione devono solitamente soddisfare un supporto minimo e una confidenza minima specificati dall'utente. Le regole di associazione sono istruzioni if/then che aiutano a scoprire relazioni tra dati apparentemente non correlati in un database relazionale o in un altro archivio di informazioni. Un esempio di regola di associazione potrebbe essere "Se un cliente acquista una dozzina di uova, ha l'80% di probabilità di acquistare anche del latte". Una regola di associazione è composta da due parti, un antecedente (if) e un conseguente (then). L'antecedente è un elemento presente nei dati. Il conseguente è un elemento che si trova in combinazione con l'antecedente. Le regole di associazione vengono create analizzando i dati alla ricerca di relazioni frequenti. Il supporto è un'indicazione della frequenza con cui gli elementi appaiono nel database. La confidenza indica il numero di volte in cui le affermazioni if/then sono risultate vere. Nel data mining, le regole di associazione sono utili per analizzare e prevedere il comportamento dei clienti. Svolgono un ruolo importante nell'analisi dei dati del carrello della spesa, nel raggruppamento dei prodotti, nella progettazione dei cataloghi e nel layout dei negozi. I programmatori utilizzano le regole di associazione per costruire programmi in grado di apprendere in modo automatico. L'apprendimento automatico è un tipo di intelligenza artificiale (AI) che cerca di costruire programmi con la capacità di diventare più efficienti senza essere esplicitamente programmati.

Classificazione:

La classificazione è una tecnica di data mining (apprendimento automatico) utilizzata per prevedere l'appartenenza a gruppi di istanze di dati. La classificazione è una funzione di data mining che assegna gli elementi di una raccolta a categorie o classi specifiche. L'obiettivo della classificazione è quello di prevedere con precisione la classe di destinazione per ogni caso nei dati. Ad esempio, un modello di classificazione può essere utilizzato per identificare i richiedenti di un prestito come a basso, medio o alto rischio di credito. I modelli di classificazione vengono testati confrontando i valori previsti con i valori target noti in un insieme di dati di prova. I dati storici per un progetto di classificazione sono tipicamente divisi in due serie di dati: una per costruire il modello, l'altra per testarlo. Gli algoritmi di classificazione nel data mining e nell'apprendimento automatico ricevono un insieme di input e propongono una classe specifica associata a tali input. La classificazione è il problema di identificare a quale categoria (sottopopolazione) appartiene una nuova osservazione, sulla base di un insieme di dati di addestramento contenente osservazioni (o istanze) di cui è nota l'appartenenza alla categoria. Le prestazioni del classificatore dipendono molto dalle caratteristiche dei dati da classificare. Non esiste un singolo classificatore che funzioni al meglio su tutti i problemi (un fenomeno che può essere spiegato dal teorema del no-free lunch). Sono stati eseguiti diversi test empirici per confrontare le prestazioni dei classificatori e per individuare le caratteristiche dei dati che determinano le prestazioni dei classificatori. La

3

determinazione di un classificatore adatto a un determinato problema è tuttavia ancora più un'arte che una scienza.

Raggruppamento

L'analisi di clustering individua cluster di oggetti di dati in qualche modo simili tra loro. I membri di un cluster sono più simili tra loro di quanto non lo siano i membri di altri cluster. L'obiettivo dell'analisi di clustering è trovare cluster di alta qualità, in modo che la somiglianza tra i cluster sia bassa e quella all'interno dei cluster sia alta. Il clustering, come la classificazione, viene utilizzato per segmentare i dati. A differenza della classificazione, i modelli di clustering segmentano i dati in gruppi non precedentemente definiti. I modelli di classificazione segmentano i dati assegnandoli a classi precedentemente definite, specificate in un obiettivo. I modelli di clustering non utilizzano un obiettivo. Il clustering è utile per esplorare i dati. Se ci sono molti casi e non ci sono raggruppamenti evidenti, gli algoritmi di clustering possono essere utilizzati per trovare raggruppamenti naturali. Il clustering può anche servire come utile fase di pre-elaborazione dei dati per identificare gruppi omogenei su cui costruire modelli supervisionati. Il clustering può essere utilizzato anche per il rilevamento delle anomalie. Una volta che i dati sono stati segmentati in cluster, si può scoprire che alcuni casi non si adattano bene a nessun cluster. Questi casi sono anomalie o outlier. Trovare gruppi di oggetti in modo che gli oggetti di un gruppo siano simili (o correlati) tra loro e diversi (o non correlati) dagli oggetti di altri gruppi. L'analisi dei cluster in sé non è un algoritmo specifico, ma il compito generale da risolvere. Può essere realizzata da vari algoritmi che differiscono significativamente nella loro nozione di cosa costituisce un cluster e di come trovarli in modo efficiente. Le nozioni più diffuse di cluster includono gruppi con piccole distanze tra i membri del cluster, aree dense dello spazio dati, intervalli o particolari distribuzioni statistiche. Il clustering può quindi essere formulato come un problema di ottimizzazione multi-obiettivo. L'analisi dei cluster in quanto tale non è un compito automatico, ma un processo iterativo di scoperta della conoscenza o di ottimizzazione interattiva multi-obiettivo che comporta tentativi e fallimenti. Spesso sarà necessario modificare la pre-elaborazione dei dati e i parametri del modello finché il risultato non raggiunge le proprietà desiderate. Raggruppare documenti correlati per la navigazione, raggruppare geni e proteine con funzionalità simili o raggruppare azioni con fluttuazioni di prezzo simili.

Scoperta del modello sequenziale:

Un database di sequenze è costituito da elementi o eventi ordinati. Il sequence mining è un argomento del data mining che si occupa di trovare modelli statisticamente rilevanti tra esempi di dati in cui i valori sono forniti in una sequenza. Di solito si presume che i valori siano discreti e quindi il mining delle serie temporali è strettamente correlato, ma di solito è considerato un'attività diversa. Il sequence mining è un caso speciale di data mining strutturato. Comprende la creazione di database e indici efficienti per le

4

informazioni sulle sequenze, l'estrazione di modelli frequenti, il confronto delle sequenze per la somiglianza e il recupero dei membri mancanti delle sequenze. Il sequence mining è un argomento del data mining che si occupa di trovare modelli statisticamente rilevanti tra esempi di dati in cui i valori sono forniti in una sequenza. Di solito si presume che i valori siano discreti e quindi il mining delle serie temporali è strettamente correlato, ma di solito è considerato un'attività diversa. Il sequence mining è un caso particolare di data mining strutturato. sequence mining si presta a scoprire insiemi di elementi frequenti e l'ordine in cui appaiono, ad e s e m p i o , si cercano regole della forma. Le attività di sequence mining comprendono la creazione di database e indici efficienti per le informazioni sulle sequenze, l'estrazione dei modelli frequenti, il confronto delle sequenze per la somiglianza e il recupero dei membri mancanti delle sequenze.

Rilevamento e previsione della deviazione:

Il rilevamento delle deviazioni consiste nell'identificare i punti fuori norma in un insieme di dati. La previsione è un argomento molto vasto e va dalla previsione del guasto di componenti o macchinari all'identificazione di frodi e persino alla previsione dei profitti aziendali. Utilizzata in combinazione con le altre tecniche di data mining, la previsione comporta l'analisi delle tendenze, la classificazione, la corrispondenza dei modelli e la relazione. Analizzando eventi o casi passati, è possibile fare una previsione su un evento. Utilizzando l'autorizzazione della carta di credito, ad esempio, si potrebbe combinare l'analisi dell'albero decisionale delle singole transazioni passate con la classificazione e la corrispondenza dei modelli storici per identificare se una transazione è fraudolenta. Se c'è una corrispondenza tra l'acquisto di voli per gli Stati Uniti e le transazioni negli Stati Uniti, è probabile che la transazione sia valida. Modello di previsione, un insieme di alberi decisionali noto anche come rete di dipendenza, per fornire raccomandazioni di acquisto in tempo reale agli utenti che visitano il vostro sito e per indovinare proprietà di profilo sconosciute sugli utenti. Un modello di previsione riassume le relazioni nei dati sotto forma di regole. Ad esempio, un modello di previsione può dire che se un visitatore del vostro sito è di sesso maschile, ha più di 55 anni e acquista abbigliamento sportivo, è probabile che acquisti anche attrezzature da golf. È possibile utilizzare questo modello per consigliare in tempo reale le attrezzature da golf agli utenti che corrispondono a questo profilo. I modelli di previsione forniscono in genere consigli più accurati rispetto alle regole generate dall'uomo, in quanto prevedono in base all'attività precedente sul sito; di conseguenza, di solito producono più vendite. Per analizzare i modelli di previsione, si utilizza il Visualizzatore di modelli di previsione di Commerce Server.

Regressione :

Tenta di trovare una funzione che modelli i dati con il minimo errore. La regressione è una funzione di data mining che prevede un numero. L'età, il peso, la distanza, la temperatura, il reddito o le vendite possono essere previsti con tecniche di regressione.

Ad esempio, un modello di regressione può essere utilizzato per prevedere l'altezza dei bambini, in base alla loro età, al loro peso e ad altri fattori. Un compito di regressione inizia con un insieme di dati in cui i valori target sono noti. Ad esempio, un modello di regressione che predice l'altezza dei bambini potrebbe essere sviluppato sulla base dei dati osservati per molti bambini in un periodo di tempo. Le relazioni tra i predittori e l'obiettivo sono riassunte in un modello, che può essere applicato a un'altra serie di dati in cui i valori obiettivo sono sconosciuti. I modelli di regressione vengono testati calcolando varie statistiche che misurano la differenza tra i valori previsti e quelli attesi. Il data mining comprende le regole di associazione, la classificazione, il clustering, i modelli sequenziali, il rilevamento delle deviazioni e la predizione, e il clustering è una delle tecniche più importanti del data mining. Il clustering è un processo di raggruppamento di un insieme di oggetti in un insieme di sottoclassi che viene chiamato "cluster". Come l'algoritmo gerarchico (clustering basato sulla connettività) e l'algoritmo di partizione (clustering basato sui centroidi), l'algoritmo basato sulla densità (densità dei punti dati) e l'algoritmo di massimizzazione dell'aspettativa EM (clustering basato sull'iterazione).

L'algoritmo di clustering gerarchico si divide in due tipi di algoritmi di clustering. Il primo è l'algoritmo agglomerativo (approccio dal basso verso l'alto) e l'altro è l'algoritmo divisivo (approccio dall'alto verso il basso) e l'algoritmo di suddivisione utilizza principalmente k-means, k- medoids e versioni avanzate di x-mean, k-mean globale, k-mean++. In generale, ci sono due tipi di attributi che vengono associati ai dati di input nell'algoritmo di clustering: gli attributi numerici e gli attributi categorici. Gli attributi numerici sono quelli con un numero finito di valori ordinati. Ad esempio, l'età o l'altezza di una persona. D'altra parte, gli attributi categorici sono quelli con un numero finito di valori non ordinati, come l'occupazione o il gruppo sanguigno di una persona.

1.1.1 Fasi dell'estrazione dei dati :

- **Integrazione dei dati:** Tutti i dati vengono raccolti e integrati da tutte le diverse fonti.
- **Selezione dei dati:** Tutti i dati raccolti non saranno utilizzati nella prima fase. In questa fase, quindi, si selezioneranno i dati adatti e accuratamente richiesti.
- **Pulizia dei dati:** I dati raccolti possono non essere puliti e contenere errori, valori mancanti, dati rumorosi o incoerenti. È quindi necessario applicare diverse tecniche per eliminare tali anomalie.
- **Trasformazione dei dati:** Anche dopo la pulizia dei dati, questi non sono nel formato richiesto per l'estrazione. Per questo motivo, i dati vengono trasformati in una forma appropriata per l'estrazione. Le tecniche utilizzate per ottenere questo risultato sono lo smussamento, l'aggregazione, la normalizzazione, ecc.
- **Data Mining:** Ora è possibile applicare le tecniche di data mining per scoprire modelli interessanti. Tecniche come il clustering e l'analisi delle associazioni sono solo alcune delle diverse tecniche utilizzate per il data mining.
- **Valutazione dei pattern e presentazione della conoscenza:** Questa fase prevede la

visualizzazione, la trasformazione, la rimozione dei modelli ridondanti ecc. dai modelli generati.

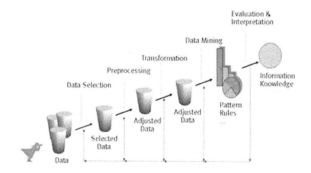

Figura: 1.1 fasi del data mining

• **Decisioni o uso della conoscenza scoperta:** Questa fase aiuta l'utente a utilizzare le conoscenze acquisite per prendere decisioni migliori.

Molti considerano il data mining come un sinonimo di un altro termine molto usato, Knowledge Discovery from Data o KDD. In alternativa, altri considerano il data mining semplicemente come una fase essenziale della conoscenza nel processo di scoperta della conoscenza.

1.1.2 Processo di estrazione dei dati :

Fondamentalmente, il data mining consiste nell'elaborazione dei dati e nell'identificazione di modelli e tendenze in tali informazioni, in modo da poter decidere o giudicare. I principi del data mining esistono da molti anni, ma con l'avvento dei big data sono ancora più diffusi. I big data hanno provocato un'esplosione nell'uso di tecniche di data mining più estese, in parte perché le dimensioni delle informazioni sono molto più grandi e perché le informazioni tendono a essere più varie ed estese nella loro stessa natura e contenuto. Con grandi insiemi di dati, non è più sufficiente ottenere statistiche relativamente semplici e dirette dal sistema. Con 30 o 40 milioni di record di informazioni dettagliate sui clienti, sapere che due milioni di essi vivono in una sola località non è sufficiente. Si vuole sapere se quei due milioni appartengono a una particolare fascia d'età e se hanno un reddito medio, in modo da poter indirizzare meglio le esigenze dei clienti. Queste esigenze di business hanno trasformato il semplice recupero dei dati e le statistiche in un data mining più complesso. Il problema aziendale guida l'esame dei dati che aiuta a costruire un modello per descrivere le informazioni che, in ultima analisi, porta alla creazione del report risultante.

7

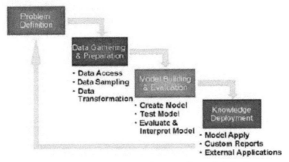

Figura: 1.2 Processo di estrazione dei dati

* **Definire il problema dell'estrazione dei dati**

La maggior parte degli studi di modellazione basati sui dati viene eseguita per un particolare dominio applicativo. Di conseguenza, la conoscenza e l'esperienza specifiche del dominio sono solitamente necessarie per ottenere una dichiarazione significativa del problema. Purtroppo, è probabile che molti studi applicativi si concentrino sulla tecnica di data mining a scapito di una chiara dichiarazione del problema. In questa fase, il modellatore solitamente specifica un insieme di variabili per la dipendenza sconosciuta e una forma generale di questa dipendenza come ipotesi iniziale. La prima fase richiede l'esperienza combinata di un dominio applicativo e di un modello di data mining. Nelle applicazioni di data mining di successo, questa collaborazione non si ferma alla fase iniziale, ma continua durante l'intero processo di data mining. Il requisito della scoperta della conoscenza è la comprensione dei dati e del business. Senza questa comprensione, nessun algoritmo è in grado di fornire i risultati richiesti.

* **Raccolta dei dati**

Questo processo riguarda la raccolta di dati da fonti e luoghi diversi. I metodi utilizzati per la raccolta dei dati sono i seguenti:

Dati interni: I dati vengono solitamente raccolti da database esistenti, data warehouse e OLAP. Le transazioni effettive registrate dagli individui sono la fonte più ricca di informazioni.

Dati esterni: I dati possono essere raccolti da dati demografici, psicografici e grafici web.

* **Rilevamento e correzione dei dati**

Tutti gli insiemi di dati grezzi che vengono inizialmente preparati per il data mining sono spesso di grandi dimensioni e potenzialmente disordinati. I database del mondo reale

8

sono soggetti a rumore, dati mancanti e incoerenti a causa delle loro dimensioni tipicamente enormi, spesso diversi gigabyte o più.

La preelaborazione dei dati è comunemente utilizzata nella pratica preliminare del data mining. Trasforma i dati in un formato facile ed efficace per gli utenti. Esistono diverse tecniche di preelaborazione dei dati, tra cui:

Pulizia dei dati: Si applica per rimuovere il rumore e correggere le incongruenze, gli outlier e i valori mancanti.

Integrazione dei dati: Unisce i dati provenienti da più fonti in un archivio di dati coerente, come un data warehouse o un cubo di dati. Si possono applicare trasformazioni dei dati come la normalizzazione. Migliora l'accuratezza e l'efficienza degli algoritmi di mining che utilizzano le misure di distanza.

Riduzione dei dati: Riduce la dimensione dei dati aggregando ed eliminando le caratteristiche ridondanti.
Le tecniche di elaborazione dei dati applicate prima dell'estrazione possono migliorare significativamente i risultati complessivi dell'estrazione dei dati. Poiché possono essere utilizzati più insiemi di dati in vari formati transazionali, può essere necessaria un'ampia preparazione dei dati. Esistono diversi prodotti software commerciali progettati specificamente per la preparazione dei dati, che facilitano il compito di organizzare i dati prima di importarli nello strumento di data mining.

- **Stima e costruzione del modello**

Questo processo comprende cinque parti:

A. Selezionare le attività di data mining.

B. Selezionare il metodo di data mining.

C. Selezionare l'algoritmo adatto.

D. Estrarre la conoscenza.

E. Descrizioni dei modelli, convalida.

A.Selezionare le attività di data mining

La scelta dell'attività da utilizzare dipende dal modello, che sia predittivo o descrittivo. I modelli predittivi prevedono i valori dei dati utilizzando risultati noti e/o informazioni trovate in grandi insiemi di dati, dati storici, o utilizzando alcune variabili o campi nell'insieme di dati per prevedere l'ignoto, la classificazione, le regressioni, l'analisi delle

9

serie temporali, la previsione o la stima sono compiti del modello predittivo.

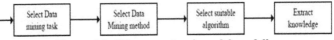

Figura 1.3: Stima e costruzione del modello

Un modello descrittivo identifica modelli o relazioni nei dati e serve a esplorare le proprietà dei dati esaminati. Clustering, riassunto, regole di associazione e scoperta di sequenze. L'importanza relativa della predizione e della descrizione per particolari applicazioni di data mining può variare notevolmente. Ciò significa che la scelta del task da utilizzare dipende dal modello, se predittivo o descrittivo.

B.Selezionare i metodi di data mining

Dopo aver selezionato l'attività richiesta è possibile scegliere il metodo e si presuppone che il modello predittivo sia classificato mentre il metodo è l'induzione di regole, l'albero decisionale o la rete neurale. Nella maggior parte delle aree di ricerca, i ricercatori stimano il modello pertinente per produrre risultati accettabili. Esistono diversi metodi per la stima del modello, ma non si limitano alle reti neurali, agli alberi decisionali, alle regole di associazione, agli algoritmi genetici, al rilevamento dei cluster e alla logica fuzzy.

C. Selezionare l'algoritmo adatto

Il passo successivo consiste nel costruire un algoritmo specifico che implementi i metodi generali. Tutti gli algoritmi di data mining includono tre componenti principali, che sono:

• Rappresentazione del modello.

• Valutazione del modello.

• Ricerca.

D.Estrazione della conoscenza

È l'ultima fase della costruzione del modello per ottenere i migliori risultati (o le risposte al problema risolto nel data mining) dopo aver effettuato la simulazione dell'algoritmo.

E.Descrizioni e convalida del modello

In tutti i casi, i modelli di data mining devono assistere gli utenti nel processo decisionale. Pertanto, tali modelli devono essere interpretabili, poiché gli esseri umani

10

non sono in grado di prendere decisioni sulla base di complessi modelli "black-box". I moderni metodi di data mining dovrebbero fornire risultati altamente accurati utilizzando modelli ad alta dimensionalità. Il problema dell'interpretazione di questi modelli è molto importante e viene considerato come un compito separato con tecniche specifiche per convalidare i risultati. La validità del modello è necessaria, ma non esiste una condizione sufficiente per la credibilità e l'accettabilità dei risultati del data mining. Ad esempio, se gli obiettivi iniziali sono identificati in modo errato o il set di dati è specificato in modo improprio, i risultati del data mining espressi attraverso il modello non saranno utili. Tuttavia, il modello potrebbe comunque risultare valido. Il modello non sarà utile. Tuttavia, il modello potrebbe risultare comunque valido.

1.1.3 Il futuro del Data Mining :

A breve termine, i risultati del data mining riguarderanno aree commerciali redditizie, anche se banali. Le campagne di micro-marketing esploreranno nuove nicchie. La pubblicità si rivolgerà ai potenziali clienti con una nuova precisione. A medio termine, il data mining potrebbe essere comune e facile da usare come la posta elettronica. Potremmo usare questi strumenti per trovare il miglior biglietto aereo per New York, per rintracciare il numero di telefono di un compagno di classe perso da tempo o per trovare i prezzi migliori per i tosaerba. Le prospettive a lungo termine sono davvero entusiasmanti. Immaginate agenti intelligenti che si occupano dei dati della ricerca medica o delle particelle subatomiche. I computer potrebbero rivelare nuovi trattamenti per le malattie o nuove intuizioni sulla natura dell'universo. Ci sono però dei potenziali pericoli, come illustrato di seguito. Che cosa succederebbe se ogni telefonata che fate, ogni acquisto con carta di credito che fate, ogni volo che prendete, ogni visita dal medico che fate, ogni carta di garanzia che inviate, ogni domanda di lavoro che compilate, ogni registro scolastico che avete, il vostro record di credito, ogni pagina web che visitate fossero tutti raccolti insieme. Si saprebbe molto di voi. È una possibilità fin troppo reale. Molte di queste informazioni sono già archiviate in un database. Ricordate l'intervista telefonica che avete rilasciato a una società di marketing la settimana scorsa Le vostre risposte sono state inserite in un database. Ricordate la domanda di prestito che avete compilato? In un database. Troppe informazioni su troppe persone perché qualcuno possa darvi un senso, non con strumenti di data mining che funzionano su computer ad elaborazione parallela di massa. Vi sentireste a vostro agio se qualcuno (o molti altri) avessero accesso a tutti questi dati su di voi? E ricordate, tutti questi dati non devono necessariamente risiedere in un unico luogo fisico; con la crescita della rete, le informazioni di questo tipo diventano sempre più disponibili per un numero maggiore di persone.

1.1.4 Applicazioni del Data Mining

Di seguito sono riportati alcuni domini di applicazione del data mining.
• Analisi dei dati finanziari

- Industria al dettaglio

- Industria delle telecomunicazioni

Data mining per l'analisi dei dati finanziari

I dati finanziari raccolti nelle banche e nelle istituzioni finanziarie sono spesso relativamente completi, affidabili e di alta qualità.

Previsione del pagamento del prestito/analisi della politica di credito al consumo.

- Selezione delle caratteristiche e classificazione della rilevanza degli attributi

- Performance di pagamento del prestito

- Rating del credito al consumo

Classificazione e clustering per un marketing mirato
- Segmentazione multidimensionale mediante nearest neighbor, classificazione, albero decisionale, ecc. per identificare gruppi di clienti o associare un nuovo cliente a un gruppo di clienti appropriato.

Data mining per il settore della vendita al dettaglio

Industria del commercio al dettaglio: enorme quantità di dati o vendite, cronologia degli acquisti dei clienti, ecc. Applicazioni del data mining nel retail:
- Identificare i comportamenti di acquisto dei clienti

- Scoprire i modelli e le tendenze di acquisto dei clienti

- Migliorare la qualità del servizio clienti

- Ottenere una migliore fidelizzazione e soddisfazione dei clienti

- Migliorare i buoni rapporti di consumo

- Progettare politiche di trasporto e distribuzione delle merci più efficaci

Data Mining per l'industria delle telecomunicazioni:-

Un settore in rapida espansione e altamente competitivo e una grande richiesta di data mining

- Comprendere il business coinvolto

- Identificare i modelli di telecomunicazione

• Catturare le attività fraudolente

• Utilizzare meglio le risorse

• Migliorare la qualità del servizio

1.1.5 Tecniche di data mining:

• **Reti neurali artificiali**: Modelli predittivi non lineari che apprendono attraverso l'addestramento e che assomigliano per struttura alle reti neurali biologiche.

• **Algoritmi genetici**: Tecniche di ottimizzazione che utilizzano processi come la combinazione genetica, la mutazione e la selezione naturale in un progetto basato sui concetti di evoluzione naturale.

• **Alberi decisionali**: Strutture ad albero che rappresentano insiemi di decisioni. Queste decisioni generano regole per la classificazione di un insieme di dati. I metodi specifici per gli alberi decisionali includono gli alberi di classificazione e regressione (CART) e il rilevamento automatico dell'interazione del chi-quadro (CHAID). CART e CHAID sono tecniche di albero decisionale utilizzate per la classificazione di un set di dati. Forniscono un insieme di regole da applicare a un nuovo set di dati (non classificato) per prevedere quali record avranno un determinato risultato. CART segmenta un set di dati creando suddivisioni a due vie, mentre CHAID segmenta utilizzando test del chi quadrato per creare suddivisioni a più vie. CART richiede in genere una minore preparazione dei dati rispetto a CHAID.

• **Metodo del vicino più prossimo**: Tecnica che classifica ogni record di un set di dati in base alla combinazione delle classi dei k record più simili ad esso in un set di dati storici (dove k 1). A volte viene chiamata tecnica del k-nearest neighbor.

• **Induzione di regole**: L'estrazione di regole if-then utili dai dati sulla base della significatività statistica.

• **Visualizzazione dei dati**: L'interpretazione visiva di relazioni complesse in dati multidimensionali. Gli strumenti grafici vengono utilizzati per illustrare le relazioni tra i dati.

1.1.6 L'ambito di applicazione del Data Mining:

Il data mining deriva il suo nome dall'analogia tra la ricerca di informazioni commerciali di valore in un grande database, ad esempio, la ricerca di prodotti collegati in gigabyte di dati di scanner del negozio e l'estrazione di una montagna per trovare una vena di minerale prezioso. Entrambi i processi richiedono di setacciare un'immensa quantità di materiale o di sondarlo in modo intelligente per trovare esattamente dove risiede il valore. Con database di dimensioni e qualità sufficienti, la tecnologia di data mining può generare nuove opportunità di business fornendo queste funzionalità:

• **Previsione automatizzata di tendenze e comportamenti**. Il data mining automatizza il processo di ricerca di informazioni predittive in grandi database. Domande che tradizionalmente richiedevano un'analisi approfondita possono ora trovare risposta

13

direttamente dai dati in modo rapido. Un tipico esempio di problema predittivo è il marketing mirato. Il data mining utilizza i dati relativi agli invii promozionali passati per identificare i target che hanno maggiori probabilità di massimizzare il ritorno sugli investimenti negli invii futuri. Altri problemi predittivi sono la previsione di fallimenti e altre forme di insolvenza e l'identificazione di segmenti di popolazione che rispondono in modo simile a determinati eventi.

• **Scoperta automatica di modelli precedentemente sconosciuti.** Gli strumenti di data mining analizzano i database e identificano modelli precedentemente nascosti in un unico passaggio. Un esempio di pattern discovery è l'analisi dei dati di vendita al dettaglio per identificare prodotti apparentemente non correlati che vengono spesso acquistati insieme. Altri problemi di pattern discovery sono l'individuazione di transazioni fraudolente con carta di credito e l'identificazione di dati anomali che potrebbero rappresentare errori di digitazione dei dati.

Le tecniche di data mining possono offrire i vantaggi dell'automazione sulle piattaforme software e hardware esistenti e possono essere implementate su nuovi sistemi man mano che le piattaforme esistenti vengono aggiornate e vengono sviluppati nuovi prodotti. Quando gli strumenti di data mining sono implementati su sistemi di elaborazione parallela ad alte prestazioni, possono analizzare enormi database in pochi minuti. Un'elaborazione più rapida significa che gli utenti possono sperimentare automaticamente più modelli per comprendere dati complessi. L'alta velocità rende pratica l'analisi di enormi quantità di dati. I database più grandi, a loro volta, producono previsioni migliori.

I database possono essere più grandi sia in termini di profondità che di ampiezza:

• **Altre colonne.** Spesso gli analisti devono limitare il numero di variabili da esaminare durante l'analisi pratica per motivi di tempo. Tuttavia, le variabili che vengono scartate perché sembrano poco importanti possono contenere informazioni su modelli sconosciuti. Il data mining ad alte prestazioni consente agli utenti di esplorare l'intera profondità di un database, senza preselezionare un sottoinsieme di variabili.
• **Più righe.** Campioni più grandi producono errori di stima e varianza inferiori e consentono di fare inferenze su segmenti piccoli ma importanti di una popolazione.

Il data mining si compone di cinque elementi principali:

• Estrarre, trasformare e caricare i dati delle transazioni sul sistema di data warehouse.
• Memorizzare e gestire i dati in un sistema di database multidimensionale.
• Fornire l'accesso ai dati agli analisti aziendali e ai professionisti delle tecnologie dell'informazione.
• Analizzare i dati con il software applicativo.
• Presentare i dati in un formato utile, come un grafico o una tabella.

14

1.2 APPRENDIMENTO SUPERVISIONATO

L'apprendimento supervisionato è un'attività di apprendimento automatico che consiste nel dedurre una funzione da dati di addestramento supervisionati (etichettati). I dati di addestramento consistono in un insieme di esempi di addestramento. Nell'apprendimento supervisionato, ogni esempio è una coppia composta da un oggetto in ingresso (tipicamente un vettore) e da un valore di uscita desiderato (chiamato anche segnale di supervisione). Un algoritmo di apprendimento supervisionato analizza i dati di addestramento e produce una funzione dedotta, chiamata classificatore (se l'uscita è discreta, vedi classificazione) o funzione di regressione (se l'uscita è continua, vedi regressione). Processo di apprendimento supervisionato: due fasi, ovvero

• Apprendimento (training): Imparare un modello utilizzando i dati di addestramento
Test: Testare il modello utilizzando dati di prova non visti per valutare l'accuratezza del modello.

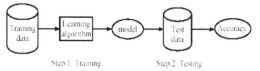

Figura: 1.4 L'apprendimento supervisionato prevede due fasi di processo

Figura: 1.5 apprendimento supervisionato (classificazione)

Conosciamo le etichette delle classi e il numero di classi.

1.3 APPRENDIMENTO NON SUPERVISIONATO

Nell'apprendimento automatico, l'apprendimento non supervisionato si riferisce al problema di trovare una struttura nascosta in dati non etichettati. Poiché gli esempi forniti all'apprendente non sono etichettati, non c'è alcun segnale di errore o di ricompensa per valutare una potenziale soluzione. Questo distingue l'apprendimento non supervisionato dall'apprendimento supervisionato e dall'apprendimento con rinforzo. L'apprendimento non supervisionato è strettamente legato al problema della stima della densità in statistica. Tuttavia, l'apprendimento non supervisionato comprende anche molte altre tecniche che cercano di riassumere e spiegare le caratteristiche chiave dei dati. Molti metodi impiegati nell'apprendimento non supervisionato si basano su metodi di data mining utilizzati per preelaborare i dati. Il clustering è spesso definito un compito di apprendimento non supervisionato, poiché non vengono forniti valori di classe che denotano un raggruppamento a priori delle istanze di dati, come avviene nell'apprendimento supervisionato.

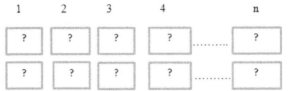

Figura : 1.6 Apprendimento non supervisionato (clustering)

1.4 MOTIVAZIONE DELLA RICERCA:

L'algoritmo StreamKM++ è un nuovo algoritmo di clustering per il flusso di dati. Il suo obiettivo è, data una sequenza di punti, costruire un buon clustering del flusso, utilizzando una quantità minima di memoria e di tempo. Molti ricercatori hanno lavorato con algoritmi di clustering su dati statici, ma in tempo reale i dati sono di natura dinamica. Come ad esempio i blog e le pagine web. Pertanto, la tecnica statica convenzionale non supporta l'ambiente in tempo reale. In questo lavoro, l'algoritmo StreamKM++ è in grado di raggiungere prestazioni di clustering elevate e paragonabili a quelle dell'Affinity Propagation tradizionale, dell'Affinity Propagation incrementale basata sui K-medoidi e dell'Affinity Propagation incrementale basata sull'assegnazione dei vicini più prossimi.

1.5 DEFINIZIONE DEL PROBLEMA:

Il clustering Affinity Propagation (AP) è stato utilizzato con successo in molti problemi di clustering. Ma la maggior parte delle applicazioni tratta dati statici. Tuttavia, nei lavori precedenti, Affinity Propagation, Incremental Affinity Propagation Based on K-medoids e Incremental Affinity Propagation Based on Nearest Neighbor Assignment. In questo StreamKM++ si è dimostrato più performante dei precedenti.

1.6 AMBITO DELLA RICERCA:

Lo scopo principale della ricerca è quello di fornire prestazioni migliori utilizzando il clustering rispetto ad altri algoritmi di clustering tradizionali. La ricerca è stata confrontata con alcuni algoritmi di clustering per individuare l'algoritmo migliore. L'algoritmo di clustering StreamKM++ presentato ha aumentato l'accuratezza media e ridotto il tempo di calcolo, la memoria e il numero di iterazioni.

16

1.7 OBIETTIVO DELLA RICERCA:

a. Analizzare le misure esistenti per la qualità del data mining; le linee guida e i quadri di riferimento per la scelta dei metodi di clustering.
b. Raccogliere informazioni sui sistemi esistenti e selezionare quelli da confrontare.
c. Raccogliere conoscenze sugli strumenti di data mining implementati nei metodi di clustering selezionati.
d. Costruire un modello di qualità basato su esperienze precedenti, che coinvolga sia la qualità esterna che quella in uso.

1.8 ORGANIZZAZIONE DELLA RICERCA:

La tesi è organizzata in sei capitoli.
Il Capitolo 1: Introduzione spiega il concetto centrale della tesi, l'inizio dell'introduzione inizia con i concetti di base del data mining, e consiste nel processo di data mining, nelle applicazioni del data mining, nelle tecniche di data mining e in tutto ciò che viene discusso in questo capitolo.
Capitolo 2: è la parte principale di questa tesi e presenta uno studio approfondito degli algoritmi utilizzati in questa ricerca.
Capitolo 3: La metodologia proposta con il rapporto esemplificativo sul sistema proposto in questa ricerca. Vengono inoltre descritti i problemi del sistema esistente.
Capitolo 4: riguarda i test pratici e l'implementazione di vari algoritmi di clustering.
Capitolo 5: mostra i risultati e le conclusioni della ricerca.
Capitolo 6: è il riepilogo di "UN **APPROCCIO BASATO SULLO STREAM MINING PER UN AMBIENTE DINAMICO CHE UTILIZZA L'ALGORITMO K-MEANS++**", in cui vengono fornite indicazioni future per ulteriori indagini.

2 REVISIONE DELLA LETTERATURA

2.1 [Parvesh Kumar, siri Krishan] "Analisi comparativa degli algoritmi basati su k-mean" IJCSNS international journal of computer science and network security, vol.10 no.4 aprile 2010.

Introduzione :

In questo lavoro si considera l'analisi comparativa degli algoritmi basati su k-mean. L'algoritmo k-means è una delle tecniche di clustering di base e di partizione più semplici, ideata da Mac Queen nel 1967, il cui scopo è quello di dividere il dataset in cluster disgiunti.

In seguito, diversi autori hanno presentato numerose varianti degli algoritmi k-means. In questo lavoro analizziamo gli algoritmi basati su k-mean, ovvero k-means, k-means efficiente, k- mean++, k-means globale e x-means su dataset di leucemia e colon. Il confronto viene effettuato in base all'accuratezza e al tasso di convergenza.

Algoritmo K-means: (Mac Queen, 1967) è uno dei gruppi di algoritmi chiamati metodo di partizione. Il metodo k-mean è molto semplice e facile da implementare per risolvere molti problemi pratici.

Algoritmo k-means globale: (Likas et al., 2003) non dipende da alcun valore iniziale dei parametri e impiega l'algoritmo k-means come procedura di ricerca locale. Invece di selezionare in modo casuale i centri iniziali di tutti i cluster, come avviene nella maggior parte dei cluster globali, proponiamo una tecnica che procede in modo incrementale, cercando di aggiungere in modo ottimale un nuovo centro di cluster a ogni fase.

Algoritmo k-means efficiente: (Zhang et al., 2003) è in grado di evitare in qualche misura la soluzione localmente ottimale e di ridurre la probabilità di dividere un cluster in due o più cluster grazie all'adozione del criterio dell'errore quadratico.

Algoritmo X-means: (Dan Pelleg e Andremoore, 2000) ricerca lo spazio delle posizioni dei cluster e il numero di cluster in modo efficiente per ottimizzare il criterio di informazione bayesiano (BIC) o il criterio di informazione di Akaike (AIC). Per migliorare la velocità dell'algoritmo viene utilizzata la tecnica kd-tree. In questo algoritmo, il numero di cluster viene calcolato dinamicamente utilizzando i limiti inferiori e superiori forniti dall'utente.

Algoritmo K-mean++: (David Arthur et al., 2007) seleziona i centri iniziali dei cluster in modo casuale, utilizzando centri di partenza con probabilità specifiche.
L'analisi delle diverse varianti dell'algoritmo K-means viene effettuata con l'aiuto di due diversi set di dati sul cancro. Per quanto riguarda il tasso di convergenza, si osserva che il

18

tasso di convergenza di K-mean++, K-mean globale è superiore a tutte le altre varianti di K-means. K-mean++ è leggermente migliore dell'accuratezza degli altri algoritmi. K-mean globale e K- mean++ offrono prestazioni migliori degli altri. Ma non c'è differenza di precisione tra K-mean++ e X-mean. Il tempo di esecuzione di K-mean++ è ancora inferiore rispetto alle altre varianti dell'algoritmo K-means. Anche la velocità di esecuzione di X-means è buona.

2.2 [Bashar aubaidan, masnizah mohd e Mohammed albared] "Studio comparativo degli algoritmi di clustering K-means e K-mean++ nel dominio della criminalità".
JSC Journal of computer science 10(7):1197-1206, 2014.ISSN:1549-3636.

Introduzione:

Il presente lavoro presenta i risultati di uno studio sperimentale di due tecniche di clustering di documenti, K-means e K-mean++. Lo svantaggio di k-mean è che l'utente deve definire il punto di centroide. Questo aspetto diventa più critico quando si tratta di clustering di documenti. Infatti, ogni punto centrale è rappresentato da una parola e il calcolo della distanza tra le parole non è un compito banale. Per ovviare a questo problema, è stato introdotto k-mean++ per trovare un buon punto centrale iniziale. Questo studio ha presentato uno studio comparativo tra k-mean e k-mean++ per verificare se il processo di inizializzazione in k-mean++ non aiuti a ottenere un risultato migliore rispetto a k-mean. Proponiamo l'algoritmo di clustering k-mean++ per identificare il miglior seme per il centro iniziale del cluster nel clustering dei documenti criminali.
In questo studio il framework per il clustering dei documenti criminali consiste nelle seguenti fasi:
• Pre-elaborazione dei documenti criminali

• Costruire la rappresentazione del documento

• I documenti vengono raggruppati in base a k-mean e k-mean++, applicando anche la misura di distanza di similarità per ogni algoritmo.

• Viene effettuata un'analisi comparativa e una valutazione del clustering.
Valutiamo l'impatto delle due misure di distanza di similarità (similarità del coseno e coefficiente jaccard) sui risultati dei due algoritmi di clustering. I risultati sperimentali su diverse impostazioni del dataset criminale hanno mostrato che, identificando il miglior seme per il centro iniziale del cluster, k-mean++ può funzionare significativamente (con un intervallo di significatività del 95%) meglio di k-means. Questo studio si propone di analizzare la migliore somiglianza tra k-means e k-mean++ per i documenti criminali e di confrontare le prestazioni di k-means e k-mean++ nel clustering. In questo studio, abbiamo utilizzato un set di dati sulla criminalità raccolti da Bermama news e abbiamo testato sei categorie di argomenti. L'algoritmo k-mean++ ha ottenuto i migliori risultati con la similarità del coseno rispetto alla similarità di jaccard. I metodi sperimentali, basati su k-mean++, si sono dimostrati più accurati del clustering k-means nel clustering di documenti criminali.

2.3 [Qinper zhao e pasi frantic] "Centroid ratio for a pairwise random swap clustering algorithm". IEEE transaction on knowledge and data engineering, vol. 26, no.5, maggio 2014.

Introduzione:

L'algoritmo di clustering e la validità dei cluster sono due parti molto corrette nell'analisi dei cluster; in questo lavoro, viene introdotta un'idea innovativa per la validità dei cluster e l'algoritmo di clustering basato sull'indice di validità. Questo rapporto di centroidi viene poi utilizzato nel clustering basato su prototipi, introducendo un algoritmo di clustering casuale a coppie per evitare il problema dell'optimum locale di k-means. La strategia di scambio nell'algoritmo alterna la semplice perturbazione della soluzione alla convergenza verso l'ottimo più vicino di k-means. Il rapporto dei centroidi si dimostra altamente correlato all'errore quadratico medio (MSE) e ad altri indici esterni; inoltre è veloce e semplice da calcolare. Uno studio empirico su diversi set di dati indica che l'algoritmo proposto funziona in modo più efficiente rispetto al random swap, al deterministic random swap, al k-means ripetuto o al k-mean++. L'algoritmo è stato applicato con successo anche al clustering di documenti e alla quantizzazione di immagini a colori.In questo lavoro, proponiamo un indice di validità dei cluster chiamato rapporto dei centroidi, che può essere utilizzato per confrontare due clustering e trovare i centroidi instabili e non correttamente posizionati in due clustering. Utilizzando questo indice, proponiamo un nuovo algoritmo di clustering chiamato algoritmo di clustering PRS (pairwise random swap). I centroidi non correttamente posizionati rilevati dal rapporto dei centroidi vengono selezionati come cluster da scambiare in PRS. Il valore di similarità per il confronto di due cluster dal centroide può essere utilizzato come criterio di arresto nell'algoritmo. L'algoritmo proposto viene poi confrontato con altri algoritmi, come il clustering random swap (RS), il clustering deterministico random swap (DRS), il k-means ripetuto (KRM) e il k-mean++ (KM++) su una serie di set di dati. I risultati sperimentali indicano che l'algoritmo proposto richiede dal 26% al 96% di tempo di elaborazione in meno rispetto al secondo algoritmo più veloce (RS).

2.4 [yangtao wang, lihui chen,senios] "incremental fuzzy clustering with multiple medoids for large data", IEEE transaction on fuzzy system 2014, yangtao wang,lihui chen,senios member, 10.11.09/fuzzy 2014.22.98244.

Introduzione:

Gli algoritmi di clustering che necessitano di memorizzare gli interi dati per l'analisi diventano impraticabili quando il set di dati è troppo grande per essere memorizzato. Per gestire questo tipo di dati di grandi dimensioni, sono stati proposti approcci di clustering incrementali. L'idea chiave di questi approcci è quella di trovare un rappresentante (centroide o medoide) che rappresenti ogni cluster in ogni frammento di dati. Si tratta di pacchetti di dati e l'analisi dei dati viene effettuata sulla base dei rappresentanti identificati in tutti i chunk. In questo lavoro proponiamo un nuovo approccio di clustering incrementale, chiamato incremental multiple medoids based fuzzy clustering (IMMFC), per gestire modelli complessi che non sono compatti e ben separati; vorremmo indagare se l'IMMFC è una buona alternativa per catturare la struttura sottostante dei dati in modo più accurato L'IMMFC non solo facilita la selezione di medoidi multipli per ogni cluster nel chunk di dati, ma ha anche un meccanismo per utilizzare le relazioni tra questi medoidi identificati come informazioni secondarie per aiutare il processo finale di clustering dei dati.

• Sono stati condotti studi sperimentali su diversi set di dati di grandi dimensioni, tra cui set di dati di malware del mondo reale. IMMFC supera gli approcci di clustering fuzzy incrementale esistenti in termini di accuratezza del clustering. Questi risultati dimostrano il grande potenziale di IMMFC per l'analisi di dati di grandi dimensioni.

2.5 [k.madani et al Ed Timothy C Havens, James Berdek e Marimuthupalaniswami.] "Incremental kernel fuzzy c means", computational intelligence SCI 399. Pp-3-18. © Springer-verlag berlin Heidelberg 2014.

Introduzione:

Le dimensioni dei set di dati di tutti i giorni stanno superando la capacità di analisi di questi set di dati. I social network e il mobile computing da soli producono set di dati che crescono di terabyte ogni giorno, perché questi dati spesso non possono essere caricati nella memoria di lavoro di un computer e la maggior parte degli algoritmi letterali (algoritmi che richiedono l'accesso all'intero set di dati) non possono essere utilizzati. Un tipo di metodo di riconoscimento dei modelli e di data mining che viene utilizzato per analizzare la base di dati è il clustering. Pertanto, gli algoritmi di clustering possono essere utilizzati su grandi insiemi di dati. Ci concentriamo sul tipo specifico di clustering kernelized fuzzy c-means (KFCM). L'algoritmo KFCM letterale ha un requisito di memoria di $O(n^2)$. Dove n è il numero di oggetti presenti nel dataset. Pertanto, anche un insieme di dati con quasi 1.000.000 di oggetti richiede terabyte di memoria di lavoro, una quantità inaffrontabile per la maggior parte dei computer. Un modo per affrontare questo problema è utilizzare un algoritmo incrementale. Questi algoritmi elaborano sequenzialmente pezzi o campioni di dati, combinando i risultati di ogni pezzo.

• Proponiamo tre nuovi algoritmi KFCM incrementali. Si tratta di rseKFCM (Random sample and extend KFCM), spKFCM (Single pass KFCM), oKFCM (Online KFCM). Le prestazioni di questi algoritmi vengono valutate in primo luogo confrontando i loro risultati di clustering con quelli del KFCM letterale e, in secondo luogo, dimostrando che questi algoritmi sono in grado di produrre una partizione ragionevole di grandi insiemi di dati. rseKFCM è il più efficiente dei tre e mostra una significativa accelerazione a basse frequenze di campionamento. L'algoritmo oKFCM sembra produrre l'approssimazione più accurata di KFCM.

Ma a costo di una bassa efficienza, si consiglia di utilizzare rseKFCM alla frequenza di campionamento più alta possibile per le esigenze di calcolo e di problemi.

2.6 [Sanjay chakra borty, N.K.Nagwani] "Analisi e studio dell'algoritmo di clustering k-means incrementale". Vol 169, 2011, pp 338-341.

Introduzione:

Lo studio di questo documento descrive il comportamento incrementale del clustering k-means basato sul partizionamento. Questo clustering incrementale è stato progettato utilizzando i metadati del metodo dei cluster acquisiti dai risultati di k-means. Lo studio sperimentale mostra che questo clustering ha ottenuto risultati migliori quando il numero di cluster è aumentato, il numero di oggetti è aumentato e la lunghezza del raggio del cluster è diminuita. Mentre il clustering incrementale quando il numero di nuovi oggetti viene inserito nel database esistente. Nell'approccio incrementale, gli algoritmi di clustering k- means vengono applicati a un database dinamico in cui i dati possono essere aggiornati frequentemente. Questo approccio misura il nuovo centro del cluster calcolando direttamente i nuovi dati dalla media dei cluster esistenti, invece di eseguire nuovamente l'algoritmo k-means. Descrive quindi a quale percentuale di cambiamento delta nel database originale il clustering k-means incrementale si comporta meglio del k-means attuale. Può essere utilizzato per grandi set di dati multidimensionali.

2.7 [Yasmina Boughachiche, Nadjet kamel] "Un nuovo algoritmo per il clustering incrementale di pagine web basato su k-means e sull'ottimizzazione di Ant colony". Vol. 287, 2014, pp347-357.

Introduzione:

Internet è una fonte di informazioni e la clusterizzazione delle pagine web è necessaria per identificare gli argomenti in una pagina. Ma il dinamismo è una delle sfide del clustering web, perché le pagine web cambiano molto frequentemente e vengono sempre aggiunte e rimosse nuove pagine; per questo motivo, gli algoritmi incrementali sono un'alternativa appropriata per il clustering delle pagine web. In questo lavoro proponiamo una nuova tecnologia ibrida, chiamata incremental k-Ant colony clustering (IKACC). Basata sull'ottimizzazione delle colonie di formiche e sugli algoritmi K-means, adottiamo questo approccio per classificare le nuove pagine in modo online e lo confrontiamo con l'algoritmo K-means incrementale. I risultati mostrano che questo approccio è più efficiente e produce risultati migliori.

2.8 [Maria Halkidi, Mary Spilio poulou, Aikaterini pavlou] "A Semi-supervised Incremental clustering algorithm for streaming data". Vol 7301, 2012, pp 578-590.

Introduzione:

In questo lavoro proponiamo un approccio di clustering incrementale per lo sfruttamento dei vincoli dell'utente sui flussi di dati. I vincoli convenzionali non hanno senso sui dati in streaming, quindi estendiamo la nozione classica di insieme di vincoli in un flusso di vincoli e proponiamo un metodo per utilizzare il flusso di vincoli man mano che i dati vengono dimenticati o ne arrivano di nuovi. Inoltre, presentiamo un approccio di clustering online per l'applicazione dei vincoli basata sui costi durante l'adattamento dei cluster su flussi di dati in evoluzione. I nostri metodi hanno introdotto il concetto di multi-cluster (m-cluster) per catturare cluster di forma arbitraria. Un m-cluster è costituito da più regioni dense e sovrapposte, denominate s-cluster, ognuna delle quali può essere rappresentata in modo efficiente da un singolo punto, inoltre propone la definizione di cluster di outlier per gestire gli outlier e fornisce metodi per osservare i cambiamenti nella struttura dei cluster durante l'evoluzione dei dati.

2.9 [Fei Wang, Yueming Lu, Fangwei Zhang, Sonlin Sun] "Un nuovo metodo basato sull'algoritmo fuzzy c-means per il clustering dei risultati di ricerca". Vol. 320, 2013, pp 263-270.

Introduzione:

L'algoritmo di clustering fuzzy c-means (FCM) esistente può solo raggruppare i campioni di documenti web con un numero di cluster c predefinito, il che è impossibile in situazioni pratiche. In questo lavoro viene proposto un nuovo metodo basato sull'algoritmo fuzzy c-means per il clustering dei risultati di ricerca. Il nuovo metodo di clustering combina l'algoritmo FCM con l'algoritmo di propagazione dell'affinità (AP) per trovare il numero ottimale di c per i risultati di ricerca.

2.10 [T.geweniges, D.zuhllce, B.Hammer, Thomas willmannn] "Variante fuzzy dell'Affinity propagation a confronto con la mediana fuzzy c-means". Vol. 5629, 2009, pagg. 72-79.

Introduzione:

In questo lavoro, estendiamo l'algoritmo di cluster affinity propagation (AP) croccante a una variante fuzzy AP è un nuovo algoritmo di passaggio di messaggi basato sull'ottimizzazione dell'algoritmo di somma massima per il grafo dei fattori. L'algoritmo di propagazione dell'affinità fuzzy proposto (FAP) restituisce assegnazioni fuzzy al prototipo di cluster basate sull'interpretazione delle probabilità dell'AP usuale. Per valutare le prestazioni di FAP, confrontiamo i risultati del clustering di FAP per problemi sperimentali e reali diversi con le soluzioni ottenute utilizzando Median FUZZY C-Means (M-FCM) e FUZZY C-Means (FCM). Come misura per gli accordi di cluster utilizziamo un'estensione fuzzy della k di Cohen basata sulle t-norms.

2.11[Dazhong Liu, Wanxuan Lu, Ning Zhong] "Clustering dei dati fMRI utilizzando la propagazione di affinità". Vol, 6334, 2010, pp 399-409.

Introduzione:

I metodi di clustering sono comunemente utilizzati per l'analisi dei dati fMRI (risonanza magnetica funzionale). Sulla base di un efficace algoritmo di clustering chiamato propagazione dell'affinità e di una nuova misura di somiglianza definita, presentiamo un metodo per rilevare le regioni cerebrali attivate. Nel metodo proposto, i valori della funzione di autovarianza e la metrica della distanza euclidea delle serie temporali vengono innanzitutto calcolati e combinati in una nuova misura di somiglianza, quindi l'algoritmo di propagazione dell'affinità con la misura viene eseguito su serie di dati di tutti i tempi e infine le regioni con cui i loro coefficienti di correlazione incrociata sono maggiori di una soglia vengono prese come attivazioni senza impostare in anticipo il numero di cluster; il nostro metodo è particolarmente adatto per l'analisi dei dati fMRI raccolti con un paradigma sperimentale periodico.La validità del metodo proposto è illustrata da esperimenti su un set di dati simulati e su un set di dati di riferimento. Il metodo è in grado di rilevare con precisione tutte le regioni attivate nel dataset simulato e il suo tasso di errore è simile a quello di K-means.

2.12[A.K.jain]. "Raggruppamento dei dati: 50 anni oltre K-means". Vol. 31, n. 8, pp. 651-666, giugno 2009.

Introduzione:

L'organizzazione dei dati in raggruppamenti sensati è una delle modalità fondamentali di comprensione e apprendimento. Ad esempio, uno schema comune di classificazione scientifica inserisce gli organismi in un sistema di taxa classificati: dominio, regno, phylum, classe, ecc. La cluster analysis è lo studio formale dei metodi e degli algoritmi per raggruppare, o clusterizzare, gli oggetti in base a caratteristiche intrinseche o somiglianze misurate o percepite. L'analisi dei cluster non utilizza etichette di categoria che etichettano gli oggetti con identificatori precedenti, cioè etichette di classe. L'assenza di informazioni sulle categorie distingue il clustering dei dati (apprendimento non supervisionato) dalla classificazione o dall'analisi discriminante (apprendimento supervisionato). Lo scopo del clustering è quello di trovare una struttura nei dati ed è quindi di natura esplorativa. Il clustering ha una lunga e ricca storia in diversi campi scientifici. Uno degli algoritmi di clustering più popolari e semplici, K-means, è stato pubblicato per la prima volta nel 1955. Nonostante K-means sia stato proposto più di 50

24

anni fa e da allora siano stati pubblicati migliaia di algoritmi di clustering, K-means è ancora ampiamente utilizzato. Ciò dimostra la difficoltà di progettare un algoritmo di clustering di uso generale e il problema mal posto del clustering. Forniamo una breve panoramica del clustering, riassumiamo i metodi di clustering più noti, discutiamo le principali sfide e i problemi chiave nella progettazione di algoritmi di clustering e indichiamo alcune delle direzioni di ricerca emergenti e utili, tra cui il clustering semi-supervisionato, il clustering di ensemble, la selezione simultanea di caratteristiche durante il clustering dei dati e il clustering di dati su larga scala.

2.13 [S. Guha, A. Meyerson, N. Mishra, R. Motwani e L. OCallaghan] "Clustering data streams: Theory and practice". vol. 15, no. 3, pp. 515-528, maggio 2003.

Introduzione:

Il modello del flusso di dati ha recentemente attirato l'attenzione per la sua applicabilità a numerosi tipi di dati, tra cui registrazioni telefoniche, documenti Web e flussi di clic. Per l'analisi di questi dati, è fondamentale la capacità di elaborare i dati in un singolo passaggio o in un numero ridotto di passaggi, utilizzando poca memoria. Descriviamo un algoritmo di streaming che raggruppa efficacemente grandi flussi di dati. Forniamo inoltre prove empiriche delle prestazioni dell'algoritmo su flussi di dati sintetici e reali.

2.14 [J. Beringer e E. Hullermeier] "Online clustering of parallel data streams". vol. 58, n. 2, pp. 180- 204, agosto 2006.

Introduzione:

Negli ultimi anni, la gestione e l'elaborazione dei cosiddetti flussi di dati è diventata un argomento di ricerca attiva in diversi campi dell'informatica, come ad esempio i sistemi distribuiti, i sistemi di database e il data mining. Un flusso di dati può essere considerato, a grandi linee, come una sequenza transitoria e in continuo aumento di dati con data e ora. In questo lavoro consideriamo il problema del raggruppamento di flussi paralleli di dati a valore reale, cioè di serie temporali in continua evoluzione. In altre parole, siamo interessati a raggruppare flussi di dati la cui evoluzione nel tempo è simile in un senso specifico. Per mantenere una struttura di clustering aggiornata, è necessario analizzare i dati in arrivo in modo online, tollerando un ritardo temporale non più che costante. A questo scopo, abbiamo sviluppato un'efficiente versione online del classico algoritmo di clustering K-means. L'efficienza del nostro metodo è dovuta principalmente a una trasformazione online scalabile dei dati originali, che consente di calcolare rapidamente le distanze approssimative tra i flussi.

2.15   [A. Likas, N. Vlassis, and J.J. Verbeek] "The global k-means clustering algorithm". vol. 36, no. 2, pp. 451-461, Feb. 2003.

Introduzione:

Questo lavoro presenta l'algoritmo globale k-means, un approccio incrementale al clustering che aggiunge dinamicamente un centro di cluster alla volta attraverso una procedura di ricerca globale deterministica che consiste in N esecuzioni (dove N è la dimensione del set di dati) dell'algoritmo k-means da posizioni iniziali appropriate. Proponiamo inoltre modifiche del metodo per ridurre il carico computazionale senza incidere significativamente sulla qualità della soluzione. I metodi di clustering proposti sono stati testati su set di dati noti e si sono confrontati favorevolmente con l'algoritmo k-means con riavvio casuale.

2.16 [A.M. Alonso, J.R. Berrendero, A. Hernandez, A. Justel] "Time series clustering based on forecast densities". vol. 51, n. 2, pp. 762-776, novembre 2006.

Introduzione:

Viene proposto un nuovo metodo di clustering per le serie temporali, basato sulla densità di probabilità completa delle previsioni. In primo luogo, un metodo di ricampionamento combinato con uno stimatore kernel non parametrico fornisce stime delle densità di previsione. Viene quindi definita una misura di discrepanza tra queste stime e la matrice di dissimilarità risultante viene utilizzata per effettuare la necessaria analisi dei cluster. Vengono discusse le applicazioni di questo metodo a set di dati simulati e reali.

2.17 [B.J. Frey e D. Dueck] "Risposta al commento su "Clustering by Passing Messages Between Data Points". vol. 319, no. 5864, pp. 726a-726d, febbraio 2008.

Introduzione:

La propagazione dell'affinità (AP) può essere vista come una generalizzazione dell'euristica di sostituzione dei vertici (VSH), in cui le sostituzioni probabilistiche degli esemplari vengono eseguite simultaneamente. Sebbene i risultati ottenuti su piccoli insiemi di dati (≤900 punti) dimostrino che VSH è competitivo con AP, abbiamo riscontrato che VSH è proibitivamente lento per problemi di dimensioni medio-grandi, mentre AP è molto più veloce e può ottenere un errore inferiore.La propagazione dell'affinità (AP) è un algoritmo che raggruppa i dati e identifica i punti di dati esemplari che possono essere utilizzati per la sintesi e la successiva analisi (1). Negli ultimi 40 anni sono stati inventati decine di algoritmi di clustering, ma in (1) abbiamo confrontato AP con tre metodi comunemente utilizzati e abbiamo scoperto che AP era in grado di trovare soluzioni con un errore inferiore e di farlo molto più rapidamente. Brusco e Köhn (2) hanno confrontato AP con la migliore delle 20 esecuzioni di un'euristica di sostituzione

26

dei vertici (VSH) inizializzata in modo casuale, descritta nel 1997 (3) e basata su un metodo introdotto in precedenza (4). I ricercatori hanno riscontrato che per alcuni piccoli insiemi di dati (≤900 punti dati), VSH ottiene un errore inferiore a quello di AP in un tempo simile. Abbiamo successivamente confermato questi risultati, ma non abbiamo riscontrato errori di fatto nel nostro rapporto originale. È interessante notare che quando abbiamo studiato serie di dati più grandi e complesse, abbiamo scoperto che AP può ottenere un errore inferiore a VSH in una frazione di tempo (5). VSH ha impiegato ~10 giorni per trovare 454 cluster in 17.770 film di Netflix, mentre AP ha impiegato ~2 ore e ha ottenuto un errore inferiore.

2.18[J. Pearl] "Fusion, propagation, and structuring in belief networks". vol. 29, no. 3, pp. 241-288, 1986.

Introduzione:

Le reti di credenze sono grafi aciclici diretti in cui i nodi rappresentano proposizioni (o variabili), gli archi indicano le dipendenze dirette tra le proposizioni collegate e le forze di queste dipendenze sono quantificate da probabilità condizionali. Una rete di questo tipo può essere utilizzata per rappresentare la conoscenza generica di un esperto di dominio e si trasforma in un'architettura computazionale se i collegamenti non sono utilizzati solo per memorizzare la conoscenza fattuale, ma anche per dirigere e attivare il flusso di dati nelle computazioni che manipolano questa conoscenza.

• La prima parte dell'articolo tratta il compito di fondere e propagare l'impatto delle nuove informazioni attraverso le reti in modo tale che, quando si raggiunge l'equilibrio, a ogni proposizione venga assegnata una misura di credenza coerente con gli assiomi della teoria della probabilità. Si dimostra che se la rete è singolarmente connessa (ad esempio, strutturata ad albero), le probabilità possono essere aggiornate per propagazione locale in una rete isomorfa di processori paralleli e autonomi e che l'impatto delle nuove informazioni può essere impartito a tutte le proposizioni in un tempo proporzionale al percorso più lungo nella rete.
• La seconda parte dell'articolo tratta il problema di trovare una rappresentazione ad albero per una collezione di proposizioni accoppiate probabilisticamente utilizzando variabili ausiliarie (fittizie), chiamate colloquialmente "cause nascoste". Si dimostra che se esiste una rappresentazione ad albero, è possibile scoprire in modo univoco la topologia dell'albero osservando le dipendenze a coppie tra le proposizioni disponibili (cioè le foglie dell'albero). L'intera struttura dell'albero, comprese le forze di tutte le relazioni interne, può essere ricostruita in un tempo proporzionale a n log n, dove n è il numero di foglie.

2.19 [F.R. Kschischang, B.J. Frey, and H.A. Loeliger] "Factor graphs and the sum-product algorithm". vol. 47, no. 2, pp. 498-519, Feb. 2001.

Introduzione:

Gli algoritmi che devono trattare funzioni globali complicate di molte variabili spesso sfruttano il modo in cui le funzioni date si fattorizzano come prodotto di funzioni "locali", ciascuna delle quali dipende da un sottoinsieme di variabili. Questa fattorizzazione può essere visualizzata con un grafo bipartito che chiamiamo grafo dei fattori. In questo documento di esercitazione presentiamo un algoritmo generico di message-passing, l'algoritmo del prodotto della somma, che opera in un grafo dei fattori. Seguendo un'unica e semplice regola di calcolo, l'algoritmo somma-prodotto calcola - in modo esatto o approssimativo - diverse funzioni marginali derivate dalla funzione globale. Un'ampia varietà di algoritmi sviluppati nell'intelligenza artificiale, nell'elaborazione dei segnali e nelle comunicazioni digitali può essere derivata come istanze specifiche dell'algoritmo del prodotto somma, tra cui l'algoritmo forward/backward, l'algoritmo di Viterbi, l'algoritmo iterativo di decodifica "turbo", l'algoritmo di propagazione della credenza di Pearl (1988) per le reti bayesiane, il filtro di Kalman e alcuni algoritmi di trasformata veloce di Fourier (FFT).

2.20 [J.S. Yedidia, W.T. Freeman, and Y. Weiss] "Constructing free-energy approximations and generalized belief propagation algorithms". vol. 51, no. 7, pp. 2282- 2312, luglio 2005.

Introduzione:

Gli importanti problemi di inferenza della fisica statistica, della computer vision, della teoria della codifica a correzione d'errore e dell'intelligenza artificiale possono essere riformulati come calcolo di probabilità marginali su grafi di fattori. L'algoritmo di propagazione della credenza (BP) è un metodo efficiente per risolvere questi problemi che è esatto quando il grafo dei fattori è un albero, ma solo approssimativo quando il grafo dei fattori ha dei cicli. Dimostriamo che i punti fissi del BP corrispondono ai punti stazionari dell'approssimazione di Bethe dell'energia libera per un grafo di fattori. Spieghiamo come ottenere approssimazioni dell'energia libera basate su regioni che migliorano l'approssimazione di Bethe e i corrispondenti algoritmi di propagazione della credenza generalizzata (GBP). Sottolineiamo le condizioni che un'approssimazione dell'energia libera deve soddisfare per essere un'approssimazione "valida" o "massimamente normale". Descriviamo la relazione tra quattro diversi metodi che possono essere utilizzati per generare approssimazioni valide: il "metodo di Bethe", il "metodo dei grafi di giunzione", il "metodo della variazione dei cluster" e il "metodo dei grafi di regione". Infine, spieghiamo come capire se un'approssimazione basata su una regione e il corrispondente algoritmo GBP possono essere accurati e descriviamo i risultati empirici che dimostrano che GBP può superare significativamente BP.

2.21 [Brendan J. Frey, Delbert Dueck] "Clustering by Passing Messages Between Data Points".

Introduzione:

Il raggruppamento dei dati attraverso l'identificazione di un sottoinsieme di esempi rappresentativi è importante per l'elaborazione dei segnali sensoriali e l'individuazione di modelli nei dati. Tali "esemplari" possono essere trovati scegliendo casualmente un sottoinsieme iniziale di punti dati e poi raffinandolo iterativamente, ma questo funziona bene solo se la scelta iniziale è vicina a una buona soluzione. Abbiamo ideato un metodo chiamato "propagazione dell'affinità", che prende come input misure di somiglianza tra coppie di punti dati. I messaggi a valore reale vengono scambiati tra i punti di dati finché non emerge gradualmente un insieme di esemplari di alta qualità e i cluster corrispondenti. Abbiamo utilizzato la propagazione dell'affinità per raggruppare immagini di volti, individuare geni in dati microarray, identificare frasi rappresentative in questo manoscritto e identificare le città che sono efficientemente accessibili con i viaggi in aereo. La propagazione per affinità ha trovato cluster con un errore molto più basso rispetto ad altri metodi, e lo ha fatto in meno di un centesimo del tempo.

2.22. [H. Geng, X. Deng e H. Ali] "Un nuovo algoritmo di clustering che utilizza il message passing e le sue applicazioni nell'analisi dei dati di microarray". Proc. Fourth Int'l Conf. Machine Learning and Applications (ICMLA '05), 2005.

Introduzione:

In questo lavoro abbiamo proposto un nuovo algoritmo di clustering che utilizza il concetto di message passing per descrivere processi biologici paralleli e spontanei. Ispirato a situazioni reali in cui le persone in grandi assembramenti formano gruppi scambiandosi messaggi, il clustering con passaggio di messaggi (MPC) consente agli oggetti di dati di comunicare tra loro e di produrre cluster in parallelo, rendendo così il processo di clustering intrinseco e migliorando le prestazioni del clustering. Abbiamo dimostrato che l'MPC condivide la stessa somiglianza con il clustering gerarchico, ma offre prestazioni significativamente migliori perché tiene conto della struttura sia locale che globale. L'MPC può essere facilmente implementato in una piattaforma di calcolo parallelo per accelerare le prestazioni. Per convalidare il metodo MPC, abbiamo applicato MPC a dati microarray provenienti dal database del ciclo cellulare del lievito di Stanford. I risultati mostrano che MPC ha fornito soluzioni di clustering migliori in termini di omogeneità e valori di separazione rispetto ad altri metodi di clustering.

2.23 [X. Zhang, C. Furtlehner e M. Sebag] "Frugal and Online Affinity Propagation" Proc. Conf. francophone sure l'Apprentissage (CAP '08), 2008.

Introduzione:

Un nuovo algoritmo di clustering dei dati, Affinity Propagation, soffre della sua complessità quadratica in funzione del numero di elementi di dati. Sono state proposte diverse estensioni dell'Affinity Propagation per la creazione di cluster online nel contesto dei flussi di dati. In primo luogo, il caso di elementi definiti in modo multiplo o di elementi ponderati viene gestito utilizzando la Weighted Affinity Propagation (WAP). In secondo luogo, la AP gerarchica realizza una AP distribuita e utilizza la WAP per unire gli insiemi di esemplari appresi dai sottoinsiemi. Sulla base di questi due blocchi, il terzo algoritmo esegue l'Affinity Propagation incrementale sui flussi di dati. Il documento convalida i due algoritmi sia su benchmark che su set di dati reali. I risultati sperimentali mostrano che gli approcci proposti hanno prestazioni migliori rispetto a quelli basati su K-centers.

2.24 [L. Ott e F. Ramos] "Unsupervised Incremental Learning for Long-Term Autonomy" Proc. 2012 IEEE Int. Conf. Robotics and Automation (ICRA '12), pp. 4022-4029, maggio 2012.

Introduzione:

Presentiamo un approccio per apprendere automaticamente l'aspetto visivo di un ambiente in termini di classi di oggetti. La procedura è totalmente non supervisionata, incrementale e può essere eseguita in tempo reale. Una versione incrementale della propagazione dell'affinità, una procedura di clustering allo stato dell'arte, viene utilizzata per raggruppare patch di immagini in gruppi dall'aspetto visivo simile. Per ognuno di questi cluster, si ottiene la probabilità di rappresentare un ostacolo attraverso l'interazione del robot con l'ambiente. Queste informazioni permettono al robot di navigare in sicurezza nell'ambiente basandosi esclusivamente sulle informazioni visive. I risultati sperimentali dimostrano che il nostro metodo estrae cluster significativi dalle immagini e apprende in modo efficiente l'aspetto degli oggetti. Dimostriamo che l'approccio si generalizza bene sia in ambienti interni che esterni e che la quantità di apprendimento si riduce man mano che il robot esplora l'ambiente. Questa è una proprietà fondamentale per l'adattamento autonomo e l'autonomia a lungo termine.

2.25 [X.H. Shi, R.C. Guan, L.P. Wang, Z.L. Pei e Y.C. Liang] "An incremental affinity propagation algorithm and its applications for text clustering". Proc. Int'l Joint Conf. Neural Networks (IJCNN'09), pp. 2914-2919, giugno 2009.

Introduzione:

L'Affinity Propagation è un algoritmo di clustering molto interessante, pubblicato su Science nel 2007. Tuttavia, l'algoritmo originale non era in grado di gestire direttamente una parte dei dati noti. Per risolvere questo problema, nel documento viene proposto uno schema semi-supervisionato chiamato clustering incrementale di propagazione dell'affinità. In questo schema, le informazioni preconosciute sono rappresentate dalla regolazione della matrice di similarità. Inoltre, viene applicato uno studio incrementale per amplificare la conoscenza pregressa. Per esaminare l'efficacia del metodo, lo concentriamo sul problema del clustering del testo e descriviamo di conseguenza il metodo specifico. Il metodo viene applicato all'insieme di dati di riferimento Reuters-21578. I risultati numerici mostrano che il metodo proposto si comporta molto bene sul set di dati e presenta i maggiori vantaggi rispetto ad altri due metodi di clustering comunemente utilizzati.

2.26 [C. Yang, L. Bruzzone, R.C. Guan, L. Lu e Y.C. Liang] "Incremental and Decremental Affinity Propagation for Semisupervised Clustering in Multispectral" IEEE Trans. Geosci. And Remote Sens., vol. 51, no. 3, pp. 1666-1679, marzo 2013.

Introduzione:

Il clustering viene utilizzato per l'identificazione della copertura del suolo nelle immagini di telerilevamento quando non sono disponibili dati di addestramento. Tuttavia, in molte applicazioni è spesso possibile raccogliere un piccolo numero di campioni etichettati. Per sfruttare efficacemente questo piccolo numero di campioni etichettati, combinato con una moltitudine di dati non etichettati, presentiamo una nuova tecnica di clustering semi-supervisionato [incremental and decremental affinity propagation (ID-AP)] che incorpora esemplari etichettati nell'algoritmo AP. A differenza dei metodi di clustering semi-supervisionati standard, la tecnica proposta migliora le prestazioni utilizzando sia i campioni etichettati per regolare la matrice di similarità sia un principio di apprendimento ID per la selezione dei dati non etichettati e il rifiuto dei campioni etichettati inutili, rispettivamente. In questo modo si evita sia il dilemma dell'apprendimento-bias che quello della stabilità-plasticità. Per valutare l'efficacia della tecnica ID-AP proposta, l'analisi sperimentale è stata condotta su tre diversi tipi di immagini multispettrali, con diverse percentuali di campioni etichettati. Nell'analisi sono state studiate anche l'accuratezza e la stabilità di due algoritmi di clustering semi-supervisionato [cioè k-means vincolato e AP semi-supervisionato (SAP)] e di un algoritmo di clustering semi-supervisionato incrementale (cioè SAP incrementale). I risultati sperimentali dimostrano che la tecnica ID-AP proposta cattura adeguatamente e sfrutta appieno la relazione intrinseca tra i campioni etichettati e i dati non etichettati e produce prestazioni migliori rispetto agli altri metodi considerati.

2.27 [C.C. Aggarwal, J. Han, J. Wang e P.S. Yu]. "A framework for clustering evolving data streams". Proc. 29th Int'l Conf. Very Large, Data Bases (VLDB '03), pp. 81-92, 2003.

Introduzione:

Il problema del clustering è un problema difficile nel dominio dei flussi di dati. Questo perché i grandi volumi di dati che arrivano in un flusso rendono la maggior parte degli algoritmi tradizionali troppo inefficienti. Negli ultimi anni sono stati sviluppati alcuni algoritmi di clustering one-pass per il problema dei flussi di dati. Sebbene questi metodi risolvano i problemi di scalabilità del problema del clustering, in genere non tengono conto dell'evoluzione dei dati e non affrontano i seguenti problemi: (1) La qualità dei cluster è scarsa quando i dati si evolvono notevolmente nel tempo. (2) Un algoritmo di clusterizzazione dei flussi di dati richiede una funzionalità molto maggiore per scoprire ed esplorare i cluster in diverse porzioni del flusso. La pratica ampiamente diffusa di considerare gli algoritmi di clustering dei flussi di dati come una classe di algoritmi di clustering a passaggio unico non è molto utile dal punto di vista applicativo. Ad esempio, un semplice algoritmo di clustering one-pass su un intero flusso di dati di pochi anni è dominato dalla storia obsoleta del flusso. L'esplorazione del flusso su diverse finestre temporali può fornire agli utenti una comprensione molto più profonda del comportamento in evoluzione dei cluster. Allo stesso t e m p o, non è possibile eseguire simultaneamente il clustering dinamico su tutti i possibili orizzonti temporali per un flusso di dati di volume anche moderatamente grande. Questo articolo discute una filosofia fondamentalmente diversa per il clustering dei flussi di dati, guidata da requisiti incentrati sull'applicazione. L'idea è quella di dividere il processo di clustering in una componente online che memorizza periodicamente statistiche riassuntive dettagliate e in una componente offline che utilizza solo queste statistiche riassuntive. La componente offline è utilizzata dall'analista, che può utilizzare un'ampia varietà di input (come l'orizzonte temporale o il numero di cluster) per fornire una rapida comprensione dei cluster più ampi nel flusso di dati. Il problema della scelta, dell'archiviazione e dell'utilizzo efficiente di questi dati statistici per un flusso di dati veloce si rivela piuttosto complicato. A questo scopo, utilizziamo i concetti di un arco temporale piramidale in combinazione con un approccio di micro-clusterizzazione. I nostri esperimenti di performance su una serie di set di dati reali e sintetici illustrano l'efficacia, l'efficienza e le intuizioni fornite dal nostro approccio.

2.28 [D. Chakrabarti, R. Kumar e A. Tomkins] "Clustering evolutivo". Proc. Knowledge Discovery and Data Mining (KDD "'06), pp.554-560, agosto 2006.

Introduzione:

Consideriamo il problema del raggruppamento dei dati nel tempo. Un clustering evolutivo deve ottimizzare contemporaneamente due criteri potenzialmente in conflitto tra loro: in primo luogo, il clustering in qualsiasi momento deve rimanere il più possibile fedele ai dati attuali; in secondo luogo, il clustering non deve cambiare drasticamente da un passo temporale all'altro. Presentiamo un quadro generico per questo problema e discutiamo le versioni evolutive di due algoritmi di clustering ampiamente utilizzati all'interno di questo quadro: k-means e clustering gerarchico agglomerativo. Valutiamo ampiamente questi algoritmi su insiemi di dati reali e dimostriamo che i nostri algoritmi possono raggiungere contemporaneamente un'elevata accuratezza nel catturare i dati di oggi e un'alta fedeltà nel riflettere il clustering di ieri.

2.29[M. Charikar, C. Chekuri, T. Feder, R. Motwani] "Incremental clustering and dynamic information retrieval". Proc. ACM Symp. Theory of Computing (STOC '97), pp. 626-635, 1997.

Introduzione:

Motivato da applicazioni come la classificazione di documenti e immagini nel recupero di informazioni, consideriamo il problema del raggruppamento di insiemi di punti dinamici in uno spazio metrico. Proponiamo un modello chiamato clustering incrementale che si basa su un'attenta analisi dei requisiti dell'applicazione di information retrieval e che dovrebbe essere utile anche in altre applicazioni. L'obiettivo è mantenere in modo efficiente cluster di diametro ridotto man mano che vengono inseriti nuovi punti. Analizziamo diversi algoritmi greedy naturali e dimostriamo che le loro prestazioni sono scarse. Proponiamo nuovi algoritmi di clustering incrementale deterministici e randomizzati che hanno prestazioni dimostrabili e che, a nostro avviso, dovrebbero avere buone prestazioni anche nella pratica. Integriamo i nostri risultati positivi con limiti inferiori sulle prestazioni degli algoritmi incrementali. Infine, consideriamo il problema di clustering duale in cui i cluster hanno un diametro fisso e l'obiettivo è minimizzare il numero di cluster.

2.30 [A.M. Bagirov, J. Ugon e D. Webb] "Algoritmo k-means globale modificato veloce per la costruzione di cluster incrementali". Pattern Recognition", vol. 44, no. 4, pp. 866-876, novembre 2011.

Introduzione:

L'algoritmo k-means e le sue varianti sono noti per essere algoritmi di clustering veloci. Tuttavia, sono sensibili alla scelta dei punti di partenza e sono inefficienti per risolvere problemi di clustering in grandi insiemi di dati. Recentemente sono stati sviluppati approcci incrementali per risolvere le difficoltà legate alla scelta dei punti di partenza. Gli algoritmi k-means globale e k-means globale modificato si basano su questo approccio. Essi aggiungono iterativamente un centro di cluster alla volta. Gli esperimenti numerici dimostrano che questi algoritmi migliorano notevolmente l'algoritmo k-means. Tuttavia, richiedono la memorizzazione dell'intera matrice di affinità o il calcolo di questa matrice a ogni iterazione. Ciò rende entrambi gli algoritmi dispendiosi in termini di tempo e di memoria per la clusterizzazione di insiemi di dati anche moderatamente grandi. In questo lavoro viene proposta una nuova versione dell'algoritmo k-means globale modificato. Introduciamo una funzione di cluster ausiliaria per generare un insieme di punti di partenza situati in diverse parti del dataset. Sfruttiamo le informazioni raccolte nelle precedenti iterazioni dell'algoritmo incrementale per eliminare la necessità di calcolare o memorizzare l'intera matrice di affinità, riducendo così lo sforzo computazionale e l'utilizzo della memoria. I risultati di esperimenti numerici su sei set di dati standard dimostrano che il nuovo algoritmo è più efficiente degli algoritmi k-means globale e globale modificato.

2.31 [C. Du, J. Yang, Q. Wu e T. Zhang] "Face Recognition Using Message Passing Based Clustering Method". Journal of Visual Communication and Image Representation, vol. 20, n. 8, pp. 608-613, novembre 2009.

Introduzione:

I metodi tradizionali di analisi del sottospazio sono inefficienti e tendono a essere influenzati dal rumore, poiché confrontano l'immagine di prova con tutte le immagini di addestramento, in particolare quando il numero di immagini di addestramento è elevato. Per risolvere questo problema, proponiamo una tecnica di riconoscimento facciale (FR) veloce, chiamata APLDA, che combina un nuovo metodo di clustering, l'affinity propagation (AP), con l'analisi discriminante lineare (LDA). Utilizzando AP sulle caratteristiche ridotte derivate da LDA, è possibile ottenere un'immagine del volto rappresentativa per ogni soggetto. Pertanto, il nostro APLDA utilizza solo le immagini rappresentative anziché tutte le immagini di addestramento per l'identificazione. Ovviamente, APLDA è molto più efficiente dal punto di vista computazionale rispetto a Fisher face. Inoltre, a differenza di Fisher face che utilizza un classificatore di pattern per l'identificazione, APLDA esegue l'identificazione utilizzando ancora una volta AP per raggruppare l'immagine di prova in una delle immagini rappresentative. I risultati sperimentali indicano inoltre che APLDA supera Fisher face in termini di tasso di riconoscimento.

2.32 [J. Zhang, X. Tuo, Z. Yuan, W. Liao e H. Chen] "Analysis of fMRI Data Using an Integrated Principal Component Analysis and Supervised Affinity Propagation Clustering Approach". IEEE Trans. Biomedical Eng., vol. 58, n. 11, pp. 3184-3196, novembre 2011.

Introduzione:

L'analisi clustering è un metodo promettente per l'analisi delle serie temporali di dati di risonanza magnetica funzionale (fMRI). L'enorme carico computazionale, tuttavia, crea difficoltà pratiche per questa tecnica. Presentiamo un nuovo approccio che integra l'analisi delle componenti principali (PCA) e il clustering supervisionato di propagazione dell'affinità (SAPC). In questo metodo, i dati fMRI vengono inizialmente elaborati con la PCA per ottenere un'immagine preliminare dell'attivazione cerebrale. Il SAPC viene quindi utilizzato per individuare i diversi modelli di attivazione funzionale del cervello. Abbiamo utilizzato un indice Silhouette supervisionato per ottimizzare la qualità del clustering e cercare automaticamente il parametro ottimale p in SAPC, in modo da migliorare il clustering di propagazione dell'affinità di base applicando SAPC. Quattro studi di simulazione e test con tre insiemi di dati fMRI in vivo contenenti dati provenienti da esperimenti sia a blocchi sia correlati a eventi hanno rivelato che l'attivazione cerebrale funzionale è stata efficacemente rilevata e che sono stati distinti diversi modelli di risposta utilizzando il nostro metodo integrato. Inoltre, il metodo SAPC migliorato è risultato superiore ai metodi di clustering a k centri e di clustering gerarchico sia nei dati fMRI a blocchi che in quelli correlati agli eventi, come misurato dall'errore quadratico medio. Questi risultati suggeriscono che il nuovo approccio integrato da noi proposto sarà utile per rilevare l'attivazione funzionale cerebrale in dati fMRI sperimentali sia a blocchi che correlati a eventi.

2.33 [Y. He, Q. Chen, X. Wang, R. Xu, X. Bai e X. Meng]. "Un clustering di documenti con propagazione di affinità adattiva". Proc. the 7th Int'l Conf. Informatics and Systems (INFOS '10), pp. 1-7, marzo 2010.

Introduzione:

L'algoritmo di clustering standard di propagazione dell'affinità soffre di una limitazione: è difficile conoscere il valore del parametro e della preferenza che può produrre una soluzione di clustering ottimale. Per superare questa limitazione, in questo lavoro proponiamo un metodo di propagazione dell'affinità adattivo. Il metodo individua innanzitutto l'intervallo di preferenze, quindi cerca nello spazio delle preferenze un buon valore in grado di ottimizzare il risultato del clustering. Applichiamo il metodo al clustering dei documenti e lo confrontiamo con il metodo standard di propagazione dell'affinità e con il metodo di clustering K-Means in set di dati reali. I risultati sperimentali mostrano che il metodo proposto è in grado di ottenere risultati di clustering migliori.

2.34 [H. Ma, X. Fan, J. Chen] "Un algoritmo incrementale di classificazione del testo cinese basato sul clustering rapido". Proc. 2008 International Symposiums on Information Processing (ISIP '08), pp. 308-312, maggio 2008.

Introduzione:

Gli algoritmi di apprendimento incrementale più convenzionali eseguono l'apprendimento incrementale selezionando ogni volta un solo campione di testo ottimizzato, il che non considera la relazione tra i testi nell'insieme di testi non etichettati, né migliora l'efficienza dell'apprendimento incrementale. Inoltre, a causa della scarsità di informazioni immagazzinate dal classificatore, è facile che il testo ottimizzato selezionato venga classificato in modo errato. E la conseguenza della selezione di un testo etichettato errato ridurrà la precisione dell'apprendimento incrementale. Per superare questi problemi, nel presente lavoro viene proposto un nuovo algoritmo di apprendimento incrementale basato sul clustering rapido. Da un lato, migliora l'efficienza dell'apprendimento incrementale raggruppando tutti i testi simili nell'insieme dei testi non etichettati. Tutti i testi che sono i centri dei cluster di testo sono selezionati come un insieme di testi rappresentativo. Quindi il processo di apprendimento incrementale consiste nello scegliere i testi nell'insieme di testi rappresentativo con un tasso di perdita di 0-1. D'altra parte, per migliorare la precisione dell'apprendimento incrementale, viene proposto un nuovo metodo per scegliere una sequenza di apprendimento ragionevole, che non solo rafforza l'impatto positivo dei dati più maturi sulla classificazione, ma indebolisce anche l'impatto negativo dei dati rumorosi. I risultati sperimentali mostrano che l'efficienza e la precisione della classificazione aumentano con l'utilizzo dell'algoritmo.

2.35 [L. Nicolas] "Nuovi algoritmi incrementali di clustering dei medoidi fuzzy". Proc. 2010 Annual Meeting of the North American on Fuzzy Information Processing Society (NAFIPS '10), pp. 1-6, luglio 2010.

Introduzione:

Questo lavoro propone due nuovi algoritmi di clustering incrementale di medoidi fuzzy per insiemi di dati molto grandi. Questi algoritmi sono stati concepiti per lavorare con flussi di dati continui, in cui tutti i dati non sono necessariamente disponibili in una sola volta o non possono essere inseriti nella memoria principale. Alcuni algoritmi fuzzy propongono già soluzioni per gestire grandi insiemi di dati in modo simile, ma sono generalmente limitati agli insiemi di dati spaziali per evitare la complessità del calcolo dei medoidi. I nostri metodi mantengono i vantaggi degli approcci fuzzy e aggiungono la capacità di gestire grandi insiemi di dati relazionali, considerando il flusso continuo di dati in ingresso come un insieme di pezzi di dati che vengono elaborati in sequenza. Vengono proposti due modelli distinti per aggregare le informazioni scoperte da ciascun pezzo di dati e produrre la partizione finale del set di dati. I nostri nuovi algoritmi vengono confrontati con gli algoritmi di clustering fuzzy più avanzati su set di dati artificiali e reali. Gli esperimenti dimostrano che i nostri nuovi approcci hanno prestazioni simili, se non superiori, a quelle degli algoritmi esistenti, aggiungendo al contempo la capacità di gestire dati relazionali per soddisfare meglio le esigenze delle applicazioni del mondo reale.

2.36.[R. Xu, and D. Wunsch] "Survey of clustering algorithms". IEEE Trans. Neural Networks, vol. 16, no. 3, pp. 645-677, maggio 2005.

Introduzione:

L'analisi dei dati svolge un ruolo indispensabile per la comprensione di vari fenomeni. L'analisi dei cluster, esplorazione primitiva con poche o nessuna conoscenza preliminare, è costituita da ricerche sviluppate in un'ampia varietà di comunità. La diversità, da un lato, ci fornisce molti strumenti. D'altra parte, la profusione di opzioni genera confusione. Esaminiamo gli algoritmi di clustering per gli insiemi di dati presenti nella statistica, nell'informatica e nell'apprendimento automatico e ne illustriamo le applicazioni in alcuni insiemi di dati di riferimento, nel problema del commesso viaggiatore e nella bioinformatica, un nuovo campo che sta attirando molti sforzi. Vengono inoltre discussi alcuni argomenti strettamente correlati, come la misura di prossimità e la validazione dei cluster.

2.38 [N.X. Vinh, and J. Bailey] "Information theoretic measures for clustering are comparison: is a correction for chance necessary". Proc. 26th Int'l Conf. Machine Learning (ICML '09), 2009.

Introduzione:

Le misure basate sulla teoria dell'informazione costituiscono una classe fondamentale di misure di somiglianza per il confronto dei cluster, accanto alla classe delle misure basate sul conteggio delle coppie e sul set-matching. In questo lavoro, discutiamo la necessità di correggere il caso per le misure basate sulla teoria dell'informazione per il confronto dei cluster. Osserviamo che la linea di base di tali misure, ovvero il valore medio tra partizioni casuali di un insieme di dati, non assume un valore costante e tende ad avere una variazione maggiore quando il rapporto tra il numero di punti dati e il numero di cluster è piccolo. Questo effetto è simile a quello di altre misure non basate sulla teoria dell'informazione, come il noto indice di Rand. Assumendo un modello iper-geometrico

37

di casualità, ricaviamo la formula analitica per il valore atteso dell'informazione reciproca tra una coppia di raggruppamenti e proponiamo la versione corretta per diverse misure basate sulla teoria dell'informazione. Vengono forniti alcuni esempi per dimostrare la necessità e l'utilità delle misure corrette.

2.39 [L. Chisci, A. Mavino, G. Perferi, M. Sciandrone, C. Anile, G. Colicchio e F. Fuggetta] "Real-Time Epileptic Seizure Prediction Using AR Models and Support Vector Machines". IEEE Trans. Biomedical Engineering, vol. 57, no. 5, 2010, pp. 1124-1132, maggio 2010.
Introduzione:

Questo lavoro affronta la previsione delle crisi epilettiche dall'analisi online dei dati EEG. Questo problema è di fondamentale importanza per la realizzazione di unità di monitoraggio/controllo da impiantare su pazienti epilettici resistenti ai farmaci. La soluzione proposta si basa in modo innovativo sulla modellazione autoregressiva delle serie temporali EEG e combina uno stimatore di parametri ai minimi quadrati per l'estrazione delle caratteristiche EEG con una macchina a vettori di supporto (SVM) per la classificazione binaria tra stati preictali/ictali e interictali. Questa scelta è caratterizzata da bassi requisiti computazionali compatibili con un'implementazione in tempo reale del sistema complessivo. Inoltre, i risultati sperimentali sul set di dati di Friburgo hanno mostrato una corretta previsione di tutte le crisi (sensibilità del 100%) e, grazie a una nuova regolarizzazione del classificatore SVM basata sul filtro di Kalman, anche un basso tasso di falsi allarmi.

2.40[1Bashar Aubaidan, 2Masnizah Mohd e 2Mohammed Albared]. "Studio comparativo degli algoritmi di clustering K-Means e K-Means++ nel settore della criminalità. Journal of Computer Science" 10 (7): 1197-1206, 2014. ISSN: 1549-3636.

Introduzione:
Questo studio presenta i risultati di un'analisi sperimentale di due tecniche di clustering di documenti, k-means e k-means++. In particolare, vengono confrontati i due approcci principali per il clustering dei documenti crimeani. Lo svantaggio di k-means è che l'utente deve definire il punto di centroide. Questo aspetto diventa più critico quando si tratta di clustering di documenti, perché ogni punto centrale è rappresentato da una parola e il calcolo della distanza tra le parole non è un compito banale. Per superare questo problema, è stato introdotto k-means++ per trovare un buon punto centrale iniziale. Poiché k-means++ non è stato applicato in precedenza al clustering di documenti criminali, questo studio ha presentato uno studio comparativo tra k-means e k- means++ per verificare se il processo di inizializzazione in k-means++ aiuta a ottenere risultati migliori rispetto a k-means. Si propone l'algoritmo di clustering k-means++, per identificare il miglior seme per i centri iniziali dei cluster nel clustering dei documenti criminali. Lo scopo di questo studio è quello di condurre uno studio comparativo di due principali algoritmi di clustering, ovvero k-means e k- means++. Il metodo di questo

studio comprende una fase di pre-elaborazione, che a sua volta prevede la tokenizzazione, la rimozione delle stop-words e lo stemming. Inoltre, valutiamo l'impatto delle due misure di somiglianza/distanza (somiglianza coseno e coefficiente di Jaccard) sui risultati dei due algoritmi di clustering. I risultati sperimentali su diverse impostazioni del set di dati sulla criminalità hanno mostrato che, identificando il miglior seme per i centri iniziali dei cluster, k- mean++ può funzionare significativamente (con un intervallo di significatività del 95%) meglio di k-means. Questi risultati dimostrano l'accuratezza dell'algoritmo di clustering k-mean++ nel raggruppare i documenti criminali.

2.41 [David Arthur e Sergei Vassilvitskii] "k-means++: I vantaggi di una semina accurata".

Introduzione:

Il metodo k-means è una tecnica di clustering ampiamente utilizzata che cerca di minimizzare la distanza quadratica media tra i punti dello stesso cluster. Sebbene non offra garanzie di precisione, la sua semplicità e velocità sono molto interessanti nella pratica. Aumentando k-means con una semplice tecnica di semina randomizzata, otteniamo un algoritmo che è O(log k) competitivo con il clustering ottimale. Gli esperimenti dimostrano che il nostro incremento migliora sia la velocità che l'accuratezza di k-means, spesso in modo piuttosto significativo.Il confronto completo tra k-means e k-means++ . Notiamo che k-means++ ha costantemente superato k-means, sia raggiungendo un valore potenziale più basso, in alcuni casi di diversi ordini di grandezza, sia completando più velocemente. Con gli esempi sintetici, il metodo k-means non ottiene buoni risultati, perché la semina casuale unirà inevitabilmente i cluster e l'algoritmo non sarà mai in grado di separarli. Il metodo di semina accurata di k-means++ evita del tutto questo problema e raggiunge quasi sempre i risultati ottimali sui dataset sintetici. Anche la differenza tra k-means e k-means++ sui dataset del mondo reale è piuttosto sostanziale. Sul dataset Cloud, k-means++ termina quasi due volte più velocemente e ottiene valori potenziali della funzione migliori di circa il 20%. Il guadagno di prestazioni è ancora più drastico sul dataset Intrusion, di dimensioni maggiori, dove il valore potenziale ottenuto da k-means++ è migliore di un fattore compreso tra 10 e 1000, oltre a essere ottenuto fino al 70% più velocemente.

2.42 [Okayama Convention Centers, Okayama, Giappone] "Seeding method based on Independent Component Analysis for k-means Clustering", SCIS & ISIS 2010, 8-12 dicembre 2010.

Introduzione:

Il metodo di clustering k-means è una tecnica di clustering ampiamente utilizzata per il Web grazie alla sua semplicità e velocità. Tuttavia, il risultato del clustering dipende fortemente dalla scelta dei centri di clustering iniziali, che sono scelti uniformemente a caso tra i punti dati. Proponiamo un metodo di semina basato sull'analisi delle componenti indipendenti per il metodo di clustering k-means. Valutiamo le prestazioni del metodo proposto e lo confrontiamo con altri metodi di seeding utilizzando set di dati di riferimento. Abbiamo applicato il metodo proposto a un corpus Web, fornito da ODP. Gli esperimenti dimostrano che l'informazione reciproca normalizzata del nostro metodo proposto è migliore dell'informazione reciproca normalizzata del metodo di clustering k-means e del metodo di clustering k-means++. L'informazione reciproca normalizzata del metodo proposto è migliore dell'informazione reciproca normalizzata del metodo di clustering k-means e del metodo di clustering k-means++. Pertanto, il metodo proposto è utile per il corpus Web.

3 METODOLOGIA DI RICERCA

3.1 SISTEMA ESISTENTE:

Nel sistema esistente, si sottolinea che la difficoltà di estendere AP nel clustering dinamico dei dati è che gli oggetti preesistenti hanno stabilito determinate relazioni (responsabilità non zero e disponibilità non zero) tra loro dopo la propagazione dell'affinità, mentre le relazioni dei nuovi oggetti con altri oggetti sono ancora al livello iniziale (responsabilità zero e disponibilità zero). Gli oggetti aggiunti in tempi diversi si trovano in stati diversi, per cui in questo caso è difficile trovare un insieme di esempi corretto semplicemente continuando la propagazione dell'affinità. Questo problema sarà discusso in una fase successiva del presente lavoro. In questa ricerca, il clustering Affinity Propagation (AP) è stato utilizzato con successo in molti problemi di clustering. Tuttavia, la maggior parte delle applicazioni riguarda dati statici. Questo lavoro considera come applicare AP a problemi di clustering incrementale. In primo luogo, evidenzia le difficoltà del clustering Incremental Affinity Propagation (IAP) e propone due strategie per risolverle. Di conseguenza, vengono proposti due algoritmi di clustering IAP. Si tratta del clustering IAP basato su K-Medoids (IAPKM) e del clustering IAP basato sull'assegnazione dei vicini più vicini (IAPNA). Per testare le prestazioni di IAPKM e IAPNA sono stati utilizzati cinque popolari set di dati etichettati, serie temporali del mondo reale e un video. Anche il clustering AP tradizionale è stato implementato per fornire prestazioni di riferimento. I risultati sperimentali mostrano che IAPKM e IAPNA sono in grado di ottenere prestazioni di clustering paragonabili a quelle del clustering AP tradizionale su tutti i set di dati. Nel frattempo, il costo del tempo si riduce drasticamente con IAPKM e IAPNA. Sia l'efficacia che l'efficienza fanno sì che IAPKM e IAPNA possano essere ben utilizzati nelle attività di clustering incrementale.

3.1.1 Svantaggi del sistema esistente :

1. Il metodo Incremental affinity propagation clustering (IAPC) richiede più tempo di calcolo.
2. Le prestazioni si riducono quando il processo incrementale viene eseguito troppo spesso.
3. L'accuratezza media è bassa nel metodo di clustering con propagazione dell'affinità incrementale.
4. La memoria e il numero di iterazioni aumentano in questi algoritmi.

3.2 SISTEMA PROPOSTO:

Il lavoro proposto utilizza l'algoritmo StreamKM++. Si tratta di un nuovo algoritmo per il clustering k-means nel modello del flusso di dati, che chiamiamo algoritmo di streaming.

Questo algoritmo è sviluppato a partire da due tecniche, quali il campionamento non uniforme e l'albero dei nuclei. La prima tecnica è utilizzata per rendere l'algoritmo facilmente implementabile e per ridurre i tempi di esecuzione. La seconda tecnica è utilizzata per accelerare il tempo necessario per il campionamento. Il concetto di streaming viene utilizzato solo per il modo dinamico in cui i dati in tempo reale sono dinamici in natura, come le pagine web, i blog, l'audio e i video, ecc. Inoltre, ha aumentato l'accuratezza media.

3.2.1 Vantaggi del sistema proposto:

1. L'algoritmo StreamKM++ è il metodo più conveniente e fornisce il minor numero di iterazioni.
2. L'algoritmo StreamKM++ fornisce risultati migliori rispetto al K-Means standard.

3. Questo algoritmo ha aumentato la precisione media.

4. L'algoritmo StreamKM++ ha un tempo di esecuzione molto migliore con il numero di centri cluster.
5. Questo algoritmo funziona molto più velocemente su insiemi di dati più grandi.

3.3 ALGORITMO DI PROPAGAZIONE DELL'AFFINITÀ:

3.3.1 Algoritmo AP

L'Affinity propagation è un clustering basato sugli esemplari, uno dei più importanti algoritmi di clustering. Si realizza scegliendo innanzitutto alcuni oggetti speciali, detti esemplari, e poi associando ogni oggetto sinistro all'esemplare più vicino. L'obiettivo è massimizzare

$$z = \sum_{i=1}^{n} s(i, c_i)$$

1

Dove $s(i, c_i)$ denota la somiglianza tra x_i e l'esemplare più vicino x_{c_i}. Il vantaggio più attraente dell'insieme di esemplari è la memorizzazione di informazioni compresse dell'intero insieme di dati. Tuttavia, trovare un insieme ottimale di esemplari è essenzialmente un difficile problema di ottimizzazione combinatoria. Introducendo una funzione di vincolo, il problema di ottimizzazione può essere trasformato in un problema di ottimizzazione non vincolata.

$$z = \sum_{i=1}^{n} g(i, ci) + \sum_{j=1}^{n} \delta_k(c)$$ 2

where $c = (c_1, c_2, \ldots c_n)$. $\delta_k(c)$ is the constraint function defined as

$$\delta_k(c) = \{ -\infty, \text{ if } c_{jj} \neq j, \text{ but } \exists c_{ij} = c_{ij}$$
$$0; \quad \text{otherwise}$$

A Value of $c_i = j$ for $i \neq j$ indicates that object I is assigned to a cluster with object j as its exemplar. A value of $c_{jj} = j$ indicates that object j is an exemplar. The introduction of penalty term $\delta_k(c)$ is to avoid such a situation that object i chooses object j as its exemplar, but object j is not an exemplar at all. The Exemplar can be computed by using the given formula

$$r(i,j) \leftarrow s(i,j) - \max \{a(i,j) + s((i,j)\}$$ 3
$$\scriptstyle s.t. \neq i,j$$

Availability $a(i, j)$, sent from function node δ_k to variable node ci, reflects the accumulated evidence for how well-suited it would be for point i to choose point j as its exemplar. It can be computed as follows:

$$a(i,j) \leftarrow \min \{0, r(i,j) + \sum \max \{0, r(i,j)\} \}$$ 4
$$\scriptstyle s.t. \in i,j$$

Responsibility and availability updates as (3) and (4) till convergence, then the clustering result $\hat{c} = \hat{c}_1 \ldots \hat{c}_n$ can be obtained by

$$\hat{c} = \arg \max \{a(i,j) + r(i,j)\}$$ 5

3.4 INCREMENTALE PROPAGAZIONE DELL'AFFINITÀ BASATA SU ALGORITMO K-MEDOIDS:

3.4.1 Algoritmo IAPKM:

In questa sezione, l'algoritmo di clustering incrementale AP secondo la prima strategia. Si è scelto di utilizzare K-Medoids come algoritmo di clustering successivo. Anche K-Medoids è un algoritmo di clustering basato su esemplari ed è stato ampiamente utilizzato. A causa della sua semplicità, sono state proposte molte varianti di clustering dinamico di K-Medoids. L'algoritmo proposto in questa sezione è denominato clustering incrementale AP basato su K-Medoids (IAPKM). Il razionale della combinazione di AP e K-Medoidi in un'attività di clustering incrementale è che: Il clustering AP è bravo a trovare un insieme iniziale di esemplari, mentre K-Medoids è bravo a modificare il risultato del clustering in base ai nuovi oggetti in arrivo. È noto che un problema chiave di K-Medoids è la scelta dell'insieme iniziale di esemplari. In K-Medoids, l'insieme di esemplari finale viene solitamente individuato intorno all'insieme di esemplari iniziale. Pertanto, le prestazioni finali del clustering di K-Medoids dipendono in larga misura dall'insieme di esemplari iniziale. Tuttavia, questo problema può essere superato dal clustering AP. Il clustering AP può trovare automaticamente un buon insieme di esemplari. IAPKM consiste in due fasi fondamentali: Il clustering AP viene

43

implementato sul gruppo iniziale di oggetti e K-Medoids viene utilizzato per modificare il risultato del clustering corrente in base ai nuovi oggetti in arrivo. Al fine di combinare K-Medoids con il clustering AP, KMedoids viene introdotto in modo message-passing nel seguito.L'algoritmo 1 presenta IAPKM. Il clustering AP tradizionale viene implementato sul primo lotto di oggetti U_{t-1} , e il risultato del clustering è c_{t-1} . Quando arriva un nuovo lotto di oggetti $X_{t;}$, assegnare ogni nuovo oggetto agli esemplari attuali. Rinnovare l'insieme di dati disponibili a U_t e rinnovare il vettore di etichette c_{t-1} a c_t Poi viene implementato K-Medoids per modificare il risultato del clustering fino alla fine.

Algoritmo:

Ingresso: U_{t-1} , c_{t-1} , $X_{t;}$

Uscita: c_t ;

Passi:

1. Assegnare ogni nuovo oggetto agli esemplari correnti e il vettore delle etichette di tutti i nuovi oggetti è indicato da $c^*_{t-1;}$

2. $U_t = U_{t-1} \cup X_t$, $c_t = [c_{t-1} \ c^*]$;

3. Il passaggio di messaggi continua secondo le equazioni (6) e (7);

4. Ripetere il passaggio 3 fino alla convergenza, c_t viene salvato.

3.5 CLUSTERING INCREMENTALE DI PROPAGAZIONE DELL'AFFINITÀ BASATO SULL'ALGORITMO DI ASSEGNAZIONE DEI VICINI PIÙ VICINI:

3.5.1 Algoritmo IAPNA:

In questa sezione, viene proposto un algoritmo di clustering AP incrementale secondo la seconda strategia. Per costruire le relazioni (valori di responsabilità e disponibilità) tra i nuovi oggetti in arrivo e gli oggetti precedenti, viene utilizzata la tecnica dell'assegnazione ai vicini (Nearest-neighbor Assignment, NA). NA significa che le responsabilità e le disponibilità dei nuovi oggetti in arrivo devono essere assegnate facendo riferimento ai loro vicini più prossimi. La proposta di NA si basa sul fatto che se due oggetti sono simili, non solo dovrebbero essere raggruppati nello stesso gruppo, ma anche avere le stesse relazioni (responsabilità e disponibilità). Tuttavia, la maggior parte degli algoritmi attuali utilizza solo la prima parte. L'algoritmo 2 presenta le procedure del clustering incrementale AP basato su NA (IAPNA). U_{t-1} , R_{t-1} , e A_{t-1} sono rispettivamente i dataset disponibili, la matrice delle responsabilità e la matrice delle disponibilità nel passo temporale precedente. Quando arrivano nuovi oggetti X_t , NA viene utilizzato per estendere la matrice di responsabilità e la matrice di disponibilità. Poi il passaggio di messaggi continua fino alla convergenza.

Algoritmo:

Ingresso: U_{t-1} , R_{t-1} , A_{t-1} , X_t ;
Uscita: R_t, A_t, c_t;
Passi:

1. Assegnazione del vicino più prossimo secondo l'equazione (8) e l'equazione (9);

2. Estendere la matrice delle responsabilità R_{t-1} a R_t , e le disponibilità A_{t-1} a A_t ;

3. Il passaggio di messaggi continua secondo l'equazione (3) e l'equazione (4) ;

4. Ripetere il passo 3 fino alla convergenza e c_t è calcolato come l'equazione (5);

Risultati degli algoritmi utilizzando cinque set di dati etichettati:

• Set di dati Iris,

• Vino Set di dati ,

• Set di dati auto,

• Set di dati sul lievito

• Set di dati WDBC.

Tabella 3.1 Analisi delle prestazioni su AP, IAPKM e IAPNA con cinque set di dati

S.no	Algoritmi	Set di dati	Media Precisione	Computazionale Tempo	Memoria utilizzo	Numero di iterazione
1	AP	Lievito	88.67	0.025	1.215	31.00
		Iris Wine	96.07	0.041	1.768	38.00
		Car	74.61	0.347	3.855	115.7
		WDBC	62.04	4.972	24.50	235.5
			89.28	1.173	18.69	79.00
2	IAPKM	Lievito	90.04	0.002	0.167	1.283
		Iris Wine	91.25	0.002	0.271	1.112
		Car	74.95	0.003	0.520	1.125
		WDBC	55.19	0.032	3.185	1.032
			92.65	0.087	2.697	1.101
3	IAPNA	Lievito	88.54	0.015	1.215	18.15
		Iris Wine	89.19	0.017	1.769	14.80
		Car	74.56	0.045	3.855	14.22
		WDBC	54.87	0.946	24.50	41.83
			89.82	0.295	18.69	15.56

Da questa tabella si evince che i risultati ottenuti utilizzando gli algoritmi AP, IAPKM e IAPNA per i cinque set di dati riguardano l'accuratezza media, il tempo di calcolo, l'utilizzo di memoria e il numero di iterazioni. Il risultato dell'algoritmo IAPKM presenta una buona accuratezza in tutti i set di dati. Per superare questo problema, l'algoritmo StreamKM++ è stato implementato nel lavoro proposto per ottenere un risultato migliore di IAPKM.

4 REALIZZAZIONE DEL LAVORO PROPOSTO

4.1 FLUSSO DEL PROCESSO:

Questa ricerca si occupa di raggruppare i punti di dati in diversi cluster e di rendere massima la somiglianza intra-cluster e minima quella inter-cluster. L'interesse per l'elaborazione di algoritmi di clustering efficienti per il data mining è in aumento. Il sistema proposto si occupa di migliorare la purezza e ridurre l'entropia del clustering nella maggior parte dei campioni di dati rappresentativi. Di seguito viene illustrato il flusso della ricerca.

4.1.1 Descrizione dei dati
4.1.2 Pre-elaborazione
4.1.3 Algoritmo StreamKM++
4.1.4 Valutazione delle prestazioni

Tabella 4.1 Descrizione dei dati:

Set di dati	Numero di oggetti	Numero di Attributi	Numero di Categorie	Utilizzo del set di dati
Iris	150	4	3	Intero
Vino	178	13	3	Intero
Auto	569	30	2	Intero
Lievito	1728	6	4	In parte
WDBC	1484	8	10	In parte

In questa tabella vengono utilizzati cinque set di dati etichettati per valutare l'algoritmo proposto. Per valutare gli algoritmi di clustering vengono utilizzati cinque insiemi di dati tra i più diffusi. Una breve descrizione è riportata nella Tabella 1. Nei set di dati Auto e Lievito, la distribuzione delle categorie è gravemente squilibrata. Una breve descrizione è riportata nella Tabella 1. Nel set di dati Auto e Lievito, la distribuzione delle categorie è gravemente sbilanciata. Tuttavia, non è l'obiettivo dell'articolo, quindi viene utilizzata solo una parte dei due set di dati. Nel set di dati Car, vengono utilizzate quattro categorie di oggetti e ogni categoria è composta da 65 oggetti. Il set di dati Lievito contiene 10 categorie, di cui vengono utilizzate al massimo quattro. Ogni categoria contiene 163 oggetti. Tutti gli esperimenti sono stati condotti su un PC con processore Intel 3.10GHz Dual-Core e 4.00 GB di memoria. Ogni set di dati è suddiviso in sei parti. La prima parte è utilizzata come oggetti iniziali, mentre gli oggetti rimanenti vengono aggiunti in cinque volte. Per maggiori dettagli, consultare la Tabella 2. Ad esempio, Iris, il clustering AP tradizionale viene implementato sui primi 100 oggetti e gli oggetti di sinistra vengono aggiunti 10 a 10. Quando arrivano nuovi oggetti, il clustering AP tradizionale viene implementato sui primi 100 oggetti. Quando arrivano nuovi oggetti.

4.1.2 Pre-elaborazione:

La pre-elaborazione dei dati è una fase importante del processo di data mining. L'espressione "garbage in, garbage out" è particolarmente applicabile ai progetti di data mining e machine learning. I metodi di raccolta dei dati sono spesso poco controllati, il che comporta valori fuori range (ad esempio, reddito: 100), combinazioni di dati impossibili (ad esempio, sesso: maschio, incinta: sì), valori mancanti, ecc. L'analisi di dati che non sono stati accuratamente controllati per questi problemi può produrre risultati fuorvianti. Se sono presenti molte informazioni irrilevanti e ridondanti o dati rumorosi e inaffidabili, la scoperta della conoscenza durante la fase di addestramento è più difficile. Le fasi di preparazione e filtraggio dei dati possono richiedere una notevole quantità di tempo di elaborazione. La pre-elaborazione dei dati comprende la pulizia, la normalizzazione, la trasformazione, l'estrazione e la selezione delle caratteristiche, ecc. Il prodotto della pre-elaborazione dei dati è l'insieme di formazione finale. Kotsiantis et al. (2006) presentano un noto algoritmo per ogni fase di pre-elaborazione dei dati

Per aprire lo strumento di preelaborazione dei dati in Matlab:

- Nella GUI Control and Estimation Tools Manager, selezionare il nodo **Transient Data (Dati transitori)** sotto il nodo **Estimation Task (Attività di stima)**, quindi scegliere i dati da preelaborare nella scheda **Input Data (Dati di ingresso)** o **Output Data (Dati di uscita).** In questo modo si attiva il pulsante **Preelaborazione**.
- Fare clic su **Preelaborazione** per aprire lo strumento di preelaborazione dei dati.
In questa sezione, il set di dati di esempio importato per la preelaborazione è lo stesso utilizzato nel modello Simulink del regime minimo del motore. Per una panoramica sulla creazione di progetti di stima e sull'importazione di set di dati, vedere Requisiti del modello per l'importazione dei dati e Creazione di un progetto di stima.

Gestione dei dati mancanti
- Rimozione dei dati mancanti
- Interpolazione dei dati mancanti

Rimozione dei dati mancanti
- Le righe con dati mancanti o esclusi sono rappresentate da NaN. Per rimuovere le righe contenenti dati mancanti o esclusi, selezionare la casella di controllo **Rimuovi righe dove nell'**area **Gestione dei dati mancanti della** GUI dello strumento di preelaborazione dei dati.
- Se il set di dati contiene più colonne di dati, selezionare tutto per rimuovere le righe in cui tutti i dati sono esclusi. Selezionare qualsiasi per rimuovere qualsiasi cella esclusa. Nel caso di dati a una colonna, qualsiasi e tutti sono equivalenti.

Interpolazione dei dati mancanti
- L'operazione di interpolazione calcola i valori dei dati mancanti utilizzando i valori dei dati noti. Quando si seleziona la casella di controllo **Interpola i valori mancanti usando il metodo dell'interpolazione** nell'area **Gestione dei dati mancanti della** GUI dello strumento di preelaborazione dei dati, il software interpola i valori dei dati mancanti.

È possibile calcolare i valori dei dati mancanti utilizzando uno dei seguenti metodi di interpolazione:

- Lo zero-order hold (zoh) riempie il campione di dati mancanti con il valore di dati immediatamente precedente.

- L'interpolazione lineare (Linear) riempie il campione di dati mancanti con la media dei valori dei dati immediatamente precedenti e successivi.

Per impostazione predefinita, il metodo di interpolazione è impostato su zoh. È possibile selezionare il metodo di interpolazione lineare dall'elenco a discesa **Interpola i valori mancanti con il metodo di interpolazione**.

Gestione dei valori anomali
- Gli outlier sono valori di dati che si discostano dalla media per più di tre deviazioni standard. Quando si stimano i parametri da dati contenenti outlier, i risultati potrebbero non essere accurati.

Per rimuovere gli outlier, selezionare la casella di controllo **Outlier** per attivare l'esclusione degli outlier. È possibile impostare la **lunghezza della finestra** su qualsiasi numero intero positivo e utilizzare limiti di confidenza da 0 a 100%. La lunghezza della finestra specifica il numero di punti di dati utilizzati per il calcolo degli outlier.

L'eliminazione degli outlier sostituisce i campioni di dati contenenti gli outlier con dei NaN, che possono essere interpolati in un'operazione successiva.

4.1.3 Algoritmo StreamKM++:

StreamKM++ è un nuovo algoritmo di clustering k-means per flussi di dati. Calcola un piccolo campione ponderato del flusso di dati e risolve il problema k-means su questo campione usando l'algoritmo k-means-++. Utilizziamo due nuove tecniche. In primo luogo, utilizziamo un campionamento non uniforme simile a quello dell'algoritmo k-means++. Questo porta a un algoritmo piuttosto facile da implementare e a un tempo di esecuzione che ha solo una bassa dipendenza dalla dimensionalità dei dati. In secondo luogo, sviluppiamo una nuova struttura di dati chiamata coreset tree per accelerare in modo significativo il tempo necessario per il campionamento non uniforme durante la costruzione del coreset.

Siamo in grado di descrivere il nostro algoritmo di clustering per i flussi di dati. A tal fine, lasciamo che m sia un parametro di dimensione fissa. Per prima cosa, estraiamo un piccolo coreset di dimensione m dal flusso di dati utilizzando la tecnica merge-and-reduce. Ogni volta che esistono due campioni che rappresentano lo stesso numero di punti di input, ne prendiamo l'unione (merge) e creiamo un nuovo campione (reduce).

Algoritmo K-means++

Algoritmo k-MEANS (P, k)

1 scegliere i centri iniziali dei cluster c_1 ....c_k uniformemente a caso P

2 **ripetizione**

3 partizione di P in k sottoinsiemi P_1 .....P_k , tali che P_i , $1 \le i \le k$, contiene tutti i punti il cui centro più vicino è c_i

4 sostituire l'attuale insieme di centri con un nuovo insieme di centri c_1 ..... c_k , tale che il centro c_i , $1 \le i \le k$, sia il baricentro di Pi

5 **finché** l'insieme dei centri non è cambiato.

Algoritmo di semina adattativo

Algoritmo AdaptiveSeeding (P, k)

1 scegliere un centro iniziale c_1 uniformemente a caso da P

2 $C \leftarrow \{ c \}_1$

3 **per** i $\leftarrow$ 2 **a** k

4 scegliere il centro successivo c_i a caso da P, dove la probabilità di ogni p ε P è data da D^2 (p,C) / cost(P,C)

5 $C \leftarrow C \cup \{ci\}$

4.1.5 Valutazione delle prestazioni:

Le prestazioni del lavoro proposto sono valutate rispetto agli approcci esistenti. Lo schema proposto viene analizzato in termini di precisione media, tempo di calcolo, utilizzo della memoria e numero di iterazioni. I risultati sperimentali mostrano che l'algoritmo StreamKM++ è paragonabile ai lavori precedenti che richiedono cinque set di dati etichettati per migliorare l'accuratezza e ridurre il tempo, la memoria e le iterazioni nel clustering. Nel lavoro esistente viene presentato un algoritmo tradizionale di clustering a propagazione di affinità per raggruppare i dati. L'approccio di propagazione dell'affinità fornisce una minore accuratezza e un elevato tempo di calcolo, utilizzo della memoria e numero di iterazioni. Si è constatato che l'algoritmo K-Means++ fornisce la migliore ottimizzazione in base al confronto e ai risultati degli esperimenti.Di seguito è riportata l'implementazione dell'algoritmo con cinque insiemi di dati. e spiegata con il grafico.

4.1.5 Precisione dell'algoritmo proposto (StreamKM++):

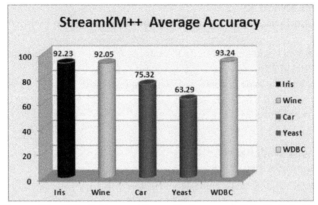

Figura 4.1 : Valori di accuratezza di cinque set di dati etichettati

Questo grafico mostra l'accuratezza dell'algoritmo di clustering StreamKM++ per i cinque set di dati più rilevanti. Vengono misurati gli insiemi di dati sull'asse X e la percentuale del valore di accuratezza sull'asse Y.

4.1.6 Tempo di calcolo dell'algoritmo proposto (StreamKM++) :

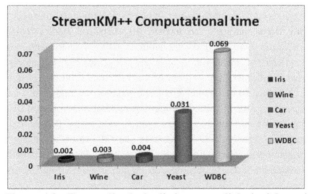

Figura 4.2 : Tempo di calcolo di cinque set di dati etichettati

Questo grafico mostra il tempo di calcolo dell'algoritmo di clustering StreamKM++ per i cinque set di dati più rilevanti. Vengono misurati gli insiemi di dati sull'asse X e il tempo di calcolo in secondi sull'asse Y.

4.1.7 Utilizzo della memoria nell'algoritmo proposto (StreamKM++):

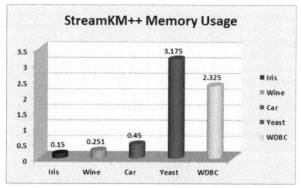

Figura 4.3 : Utilizzo della memoria di cinque set di dati etichettati

Questo grafico mostra il consumo di memoria dell'algoritmo di clustering StreamKM++ per i cinque set di dati più rilevanti. Vengono misurati gli insiemi di dati sull'asse X e il consumo di memoria in MB sull'asse Y.

4.1.7 Numero di iterazioni utilizzate nell'algoritmo proposto (StreamKM++) :

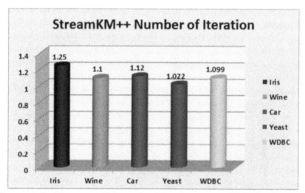

Figura 4.4 : Numero di iterazioni in cinque set di dati etichettati

Questo grafico mostra il numero di iterazioni utilizzate nell'algoritmo di clustering StreamKM++ per i cinque set di dati più rilevanti. I set di dati sono misurati sull'asse X e il numero di iterazioni utilizzate sull'asse Y.

5 RISULTATI E INFERENZE

5.1 PROGETTAZIONE DEGLI INGRESSI:

5.1.1 Raccolta dei dati

I dati sono stati raccolti dal Repository UCI; per valutare gli algoritmi di clustering sono stati utilizzati cinque dei set di dati più popolari. Nei set di dati Car e Yeast, la distribuzione delle categorie è gravemente squilibrata. Tuttavia, non è l'obiettivo del documento, quindi vengono utilizzate solo alcune parti dei due set di dati. Nel set di dati Car, vengono utilizzate quattro categorie di oggetti e ogni categoria è composta da 65 oggetti. Il set di dati Lievito contiene 10 categorie, di cui vengono utilizzate al massimo quattro. Ogni categoria contiene 163 oggetti. Ogni set di dati è diviso in sei parti. La prima parte viene utilizzata come oggetti iniziali, mentre gli oggetti rimanenti vengono aggiunti in cinque volte. Ulteriori dettagli sono riportati nella Tabella 2. Ad esempio, Iris, il clustering AP tradizionale viene implementato sui primi 100 oggetti e gli oggetti di sinistra vengono aggiunti 10 a 10. Quando arrivano nuovi oggetti, il clustering AP tradizionale viene implementato sui primi 100 oggetti. Quando arrivano nuovi oggetti.

5.2 RISULTATI:

Le seguenti implementazioni di algoritmi sono utilizzate Cinque insiemi di dati popolari etichettati sono spiegati in dettaglio nella tabella e nel grafico.

5.2.1 Precisione media :

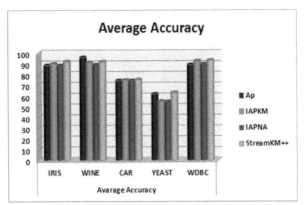

Figura 5.1 Accuratezza media degli algoritmi AP, IAPKM, IAPNA e StreamKM++

Questo grafico mostra l'accuratezza o la misura del sistema tra gli algoritmi Affinity Propagation, IAPKM, IAPNA e StreamKM++ per la maggior parte dei set di dati etichettati. I set di dati sull'asse X e il valore di accuratezza in percentuale sull'asse Y e sul lato destro sono misurati gli algoritmi. Il valore di accuratezza di StreamKM++ è superiore a quello degli altri tre algoritmi.

Tabella 5.1: Accuratezza media degli algoritmi AP, IAPKM, IAPNA e StreamKM++

S.No	Algoritmo	Set di dati	Precisione
1	Propagazione di affinità	Lievito Iris Wine Car WDBC	88.67% 96.07% 74.61% 62.04% 89.29%
2	IAPKM	Lievito Iris Wine Car WDBC	90.04% 91.25% 74.95% 55.19% 92.65%
3	IAPNA	Lievito Iris Wine Car WDBC	88.54% 89.19% 74.56% 54.87% 89.82%
4	FlussoKM++	Lievito Iris Wine Car WDBC	92.23% 92.05% 75.32% 63.29% 93.24%

5.2.2 Tempo di calcolo in secondi :

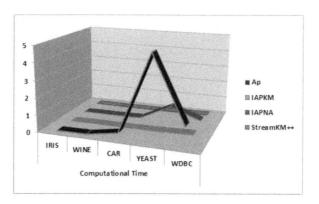

Figura 5.2 Tempo di calcolo degli algoritmi AP, IAPKM, IAPNA e StreamKM++

Questo grafico mostra l'accuratezza o la misura del sistema tra gli algoritmi Affinity Propagation, IAPKM, IAPNA e StreamKM++ per i cinque set di dati etichettati più rilevanti. Sull'asse X sono riportati i set di dati e sull'asse Y il tempo di calcolo in secondi, mentre sul lato destro sono misurati gli algoritmi. Il tempo di calcolo di StreamKM++ è leggermente migliore rispetto agli altri tre algoritmi.

Tabella 5.2: Tempi di calcolo degli algoritmi AP, IAPKM, IAPNA e StreamKM++

S.No	Algoritmo	Set di dati	Precisione
1	Propagazione di affinità	Lievito Iris Wine Car WDBC	0,025 Sec 0,041 Sec 0,347 Sec 4,972 Sec 1,173 Sec
2	IAPKM	Lievito Iris Wine Car WDBC	0,002 Sec 0,002 Sec 0,003 Sec 0,032 Sec 0,087 Sec
3	IAPNA	Lievito Iris Wine Car WDBC	0,015 Sec 0,017 Sec 0,045 Sec 0,946 Sec 0,295 Sec
4	FlussoKM++	Lievito Iris Wine Car WDBC	Sec Sec Sec 0,031 Sec 0,069 Sec

5.2.3 Utilizzo della memoria in MB :

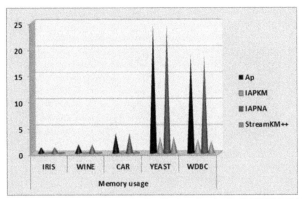

Figura 5.3 Utilizzo della memoria degli algoritmi AP, IAPKM, IAPNA e StreamKM++

Questo grafico mostra la memoria o la misurazione del sistema tra gli algoritmi Affinity Propagation, IAPKM, IAPNA e StreamKM++ per la maggior parte dei set di dati etichettati. Sull'asse X sono riportati i set di dati e sull'asse Y l'utilizzo della memoria in MB, mentre sul lato destro sono misurati gli algoritmi. L'utilizzo di memoria di StreamKM++ è ridotto rispetto agli altri tre algoritmi.

Tabella 5.3 : Utilizzo della memoria degli algoritmi AP, IAPKM, IAPNA e StreamKM++

S.No	Algoritmo	Set di dati	Precisione
1	Propagazione di affinità	Lievito Iris Wine Car WDBC	1.215 MB 1.768 MB 3,855 MB 24,50 MB 18,69 MB
2	IAPKM	Lievito Iris Wine Car WDBC	0,167 MB 0,271 MB 0,520 MB 3.185 MB 2,697 MB
3	IAPNA	Lievito Iris Wine Car WDBC	1.215 MB 1.769 MB 3,855 MB 24,50 MB 18,69 MB
4	FlussoKM++	Lievito Iris Wine Car WDBC	0,150 MB 0,251 MB 0,450 MB 3.175 MB 2,325MB

5.2.4 Numero di iterazioni:

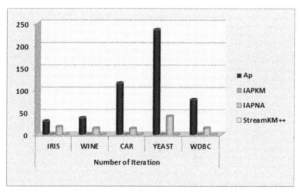

Figura 5.4 Numero di iterazioni degli algoritmi AP, IAPKM, IAPNA e StreamKM++

Questo grafico mostra l'iterazione o la misura del sistema tra gli algoritmi Affinity Propagation, IAPKM, IAPNA e K-Means++ per i cinque set di dati etichettati più rilevanti. I set di dati sull'asse X e il numero di iterazioni nei valori sull'asse Y e sul lato destro degli algoritmi sono misurati. Il numero di iterazioni di Strea,KM++ è ridotto rispetto agli altri tre algoritmi.

Tabella 5.4: Numero di iterazioni degli algoritmi AP, IAPKM, IAPNA e StreamKM++

S.No	Algoritmo	Set di dati	Precisione
1	Propagazione di affinità	Lievito Iris Wine Car WDBC	31.00 38.00 115.7 235.5 79.00
2	IAPKM	Lievito Iris Wine Car WDBC	1.283 1.112 1.125 1.032 1.101
3	IAPNA	Lievito Iris Wine Car WDBC	18.15 14.80 14.22 41.83 15.56
4	FlussoKM++	Lievito Iris Wine Car WDBC	1.250 1.110 1.120 1.022 1.099

6 CONCLUSIONE E LAVORO FUTURO

Il processo di data mining consiste nell'estrarre informazioni utili da un grande database. Esso comprende il rilevamento degli outlier, la classificazione, il clustering, la sintesi e la regressione. L'algoritmo di clustering è una delle tecniche più importanti del Data mining. Ha lo scopo di suddividere i dati in gruppi di oggetti simili. Questo viene definito cluster. Molti ricercatori hanno lavorato con l'algoritmo di clustering su dati statici. Ma in tempo reale i dati sono di natura dinamica, come i blog, le pagine web, la videosorveglianza e così via,Pertanto, la tecnica statica convenzionale non è in grado di supportare l'ambiente in tempo reale. Questa ricerca confronta l'algoritmo StreamKM++ con i lavori esistenti, come AP, IAPKM e IAPNA. I risultati sperimentali mostrano che l'algoritmo StreamKM++ ottiene il risultato migliore rispetto ai lavori esistenti. Ha aumentato l'accuratezza media e ridotto il tempo di calcolo, la memoria e le iterazioni. In futuro, potremo utilizzare questo algoritmo di clustering StreamKm++ in un ambiente in tempo reale.

7. ALLEGATO

7.1 IMMAGINI DELLO SCHERMO

Schermata 7.1.1 Pagina iniziale

Schermata 7.1.2 Algoritmo di raggruppamento Open K-Means ++

Schermata7.1.3 : Caricamento dell'algoritmo di clustering K-Means++

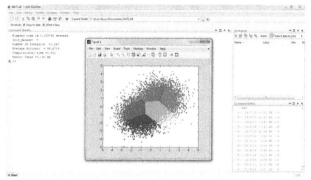

Schermata7.1.4 : Implementazione dell'algoritmo di clustering K-Means con il set di dati Iris

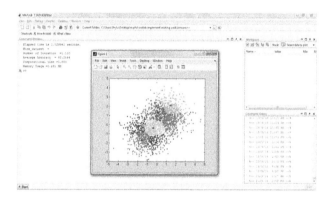

Schermata7.1.5: Implementazione dell'algoritmo di clustering K-Means++ con il set di dati Wine.

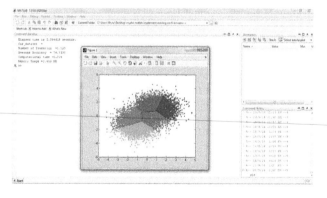

Schermata 7.1.6 Implementazione dell'algoritmo di clustering K-Means++ con il set di dati delle automobili

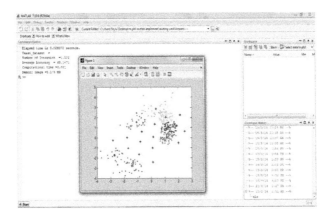

Schermata 7.1.7 Implementazione dell'algoritmo di clustering K-Means++ con i dati del lievito.

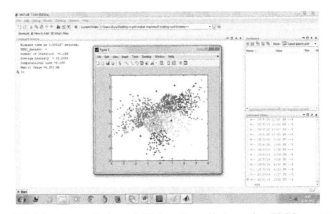

Schermata 7.1.8 Implementazione dell'algoritmo di clustering K-Means++ con il set di dati WDBC.

ELENCO DEI RIFERIMENTI:

1. [Arun. K. Pujari] "Data Mining Techniques", Universities, press (India) Limited 2001, ISBN81- 7371-3804.

2. [J. Han, M. Kamber e J. Pei], "Data Mining: Concepts and Techniques", 3a edizione, Morgan Kaufmann, 2011. p. 444.

3. [T.W. Liao] "Clustering of Time Series Data: A Survey Pattern Recognition", vol. 38, n. 11, pp. 1857-1874, novembre 2005.

4. [A.K. Jain] "Clustering dei dati: 50 Years Beyond K-means", Pattern Recognition Letters, vol. 31, n. 8, pp. 651-666, giugno 2009.

5. [S. Guha, A. Meyerson, N. Mishra, R. Motwani e L. OCallaghan], "Clustering Data Streams: Theory and Practice", IEEE Trans. Knowledge and Data Eng., vol. 15, no. 3, pagg. 515-528, maggio 2003.

6. [J. Beringer e E. Hullermeier], "Online Clustering of Parallel Data Streams", Data and Knowledge Engineering, vol. 58, n. 2, pp. 180-204, agosto 2006.

7. [A. Likas, N. Vlassis, and J.J. Verbeek], "The Global k-means Clus-tering Algorithm", Pattern Recognition, vol. 36, no. 2, pp. 451-461, Feb. 2003.

8. [A.M. Alonso, J.R. Berrendero, A. Hernandez, A. Justel], "Time Series Clustering based on Forecast Densities", Computational Statistics and Data Analysis, vol. 51, n. 2, pp. 762-776, novembre 2006.

9. [L. Kaufman e P. J. Rousseeuw], Finding Groups in Data: an Introduction to Cluster Analysis, John Wiley & Sons, 1990.

10. [MacQueen, J.B]. (1967). Alcuni metodi per la classificazione e l'analisi di osservazioni multivariate. In Proc. of 5th Berkley Symposium on Mathematical Statistics and Probability, Volume I: Statistics, pp. 281-297.

11. [B.J. Frey e D. Dueck], "Response to Comment on 'Clustering by Passing Messages Between Data Points'", Science, vol. 319, no. 5864, pp. 726a-726d, febbraio 2008.

12. [B.J. Frey e D. Dueck], "Clustering by Passing Messages between Data Points", Science, vol. 315, no. 5814, pp. 972-976, febbraio 2007.

13. [J.Pearl,]"Fusion, Propagation, and Structuring in Belief Net-works", Artificial Intelligence, vol. 29, no. 3, pp. 241-288, 1986.

14. [F.R. Kschischang, B.J. Frey, and H.A. Loeliger], "Factor Graphs and the Sum-product Algorithm", IEEE Trans. Information Theory, vol. 47, n. 2, pp. 498-519, febbraio 2001.

15. [J.S. Yedidia, W.T. Freeman e Y.Weiss], "Constructing Free-Energy Approximations and Generalized Belief Propagation Algo-rithms", IEEE Trans. Information Theory, vol. 51, n. 7, pp. 2282-2312, luglio 2005.

16. [M. Mezard], "Where Are the Exemplars", Science, vol. 315, no. 5814, pp. 949-951, febbraio 2007.

17. [H. Geng, X. Deng e H. Ali], "A New Clustering Algorithm Using Message Passing and its Applications in Analyzing Microar-ray Data", Proc. Fourth Int'l Conf. Machine Learning and Applications (ICMLA '05), 2005.

18. [W. Hwang, Y. Cho, A. Zhang e M. Ramanathan], "A Novel Functional Module Detection Algorithm for Protein-protein Inter-action Networks", Algorithms for Molecular Biology, vol. 1, n. 1, pp. 1-24, dicembre 2006.

19. [X. Zhang, C. Furtlehner e M. Sebag], "Frugal and Online Affinity Propagation", Proc. Conf. francophone sure l'Apprentissage (CAP '08), 2008.

20. [L.Ott e F. Ramos], "Apprendimento incrementale non supervisionato per l'autonomia a lungo termine", Proc. 2012 IEEE Int. Conf. Robotics and Automation (ICRA '12), pagg. 4022-4029, maggio 2012,

21. [X.H. Shi, R.C. Guan, L.P. Wang, Z.L. Pei e Y.C. Liang], "An Incremental Affinity Propagation Algorithm and Its Applications for Text Clustering", Proc. Int'l Joint Conf. Neural Networks (IJCNN '09), pagg. 2914-2919, giugno 2009.

22. [C. Yang, L. Bruzzone, R.C. Guan, L. Lu e Y.C. Liang], "Incremental and Decremental Affinity Propagation for Semisupervised Clustering in Multispectral Images", IEEE Trans. Geosci. and Remote Sens., vol. 51, no. 3, pp. 1666-1679, marzo 2013.

23. [C.C. Aggarwal, J. Han, J. Wang, and P.S. Yu], A Framework for Clustering Evolving Data Streams, Proc. 29th Int'l Conf. Very Large Data Bases (VLDB '03), pp. 81-92, 2003.

24. [D. Chakrabarti, R. Kumar e A. Tomkins], "Evolutionary Clus-tering", Proc. Knowledge Discovery and Data Mining (KDD '06), pagg. 554-560, agosto 2006.

25. [M. Charikar, C. Chekuri, T. Feder, R. Motwani], "Incremental Clustering and Dynamic Information Retrieval", Proc. ACM Symp. Theory of Computing (STOC '97), pp. 626-635, 1997.

26. [A.M. Bagirov, J. Ugon e D. Webb], "Fast Modified Global k-means Algorithm for Incremental Cluster Construction", Pattern Recognition, vol. 44, no. 4, pp. 866-876, novembre 2011.

27. [C. Du, J. Yang, Q. Wu e T. Zhang], "Face Recognition Using Message Passing based Clustering Method", Journal of Visual Com-munication[and Image Representation, Vol. 20, no. 8, pp. 608-613, Nov. 2009.

28. [J. Zhang, X. Tuo, Z. Yuan, W. Liao e H. Chen], "Analysis of fMRI Data Using an Integrated Principal Component Analysis and Supervised Affinity Propagation Clustering Approach", IEEE Trans. Biomedical Eng., vol. 58, n. 11, pp. 3184-3196, novembre 2011.

29. [Y. He, Q. Chen, X. Wang, R. Xu, X. Bai e X. Meng], "An Adaptive Affinity Propagation Document Clustering", Proc. the 7th Int'l Conf. Informatics and Systems (INFOS '10), pagg. 1-7, marzo 2010.

30. [H. Ma, X. Fan, J. Chen], "An Incremental Chinese Text Classifica-tion Algorithm based on Quick Clustering", Proc. 2008 International Symposiums on Information

Processing (ISIP '08), pp. 308-312, maggio 2008.

31. [L. Nicolas], "New Incremental Fuzzy c medoids Clustering Algo-rithms", Proc. 2010 Annual Meeting of the North American on Fuzzy Information Processing Society (NAFIPS '10), pp. 1-6, luglio 2010.

32. [R. Xu e D. Wunsch], "Survey of Clustering Algorithms", IEEE Trans. Neural Networks, vol. 16, no. 3, pp. 645-677, maggio 2005.

33. [N.X. Vinh e J. Bailey], "Misure teoriche dell'informazione per la comparazione dei cluster: È necessaria una correzione per il caso?".

34. Proc. 26th Int'l Conf. Machine Learning (ICML '09), 2009.

35. http://archive.ics.uci.edu/ml/

36. [L. Chisci, A. Mavino, G. Perferi, M. Sciandrone, C. Anile, G. Colicchio e F. Fuggetta], "Real-Time Epileptic Seizure Prediction Using AR Models and Support Vector Machines", IEEE Trans. Biomedical Engineering, vol. 57, no. 5, 2010, pp. 1124-1132, maggio 2010.

37. [parvesh Kumar, siri Krishan era un]. "analisi degli algoritmi basati su k-mean": IJCSNS international journal of computer science and network security" vol.10 no.4 aprile 2010.

38. [Bashar aubaidan, masnizah mohd e mohammed albared]. "Studio comparativo degli algoritmi di clustering K-means e K-mean++ in ambito criminale" Journal of computer science 10(7):1197-1206, 2014.ISSN:1549-3636.

39. [Qinper zhao e pasi frantic], senior member, IEEE" "centroid ratio for a pairwise random swap clustering algorithm". IEEE transaction on knowledge and data engineering", vol. 26, n. 5, maggio 2014.

40. [Yangtao Wang, Lihui Chen, membro senior "incremental fuzzy clustering with multiple medoids for large data", IEEE transaction on fuzzy system 2014.

41. [David Arthur e Sergei Vassilvitskii:] "K-means++: "I vantaggi di un'attenta semina", Atti del diciottesimo simposio annuale ACM-SIAM sugli algoritmi discreti. pp. 1027-1035, 2007

42. [Parvesh Kumar, Siri Krishan Wasan], "Comparative Analysis of k-mean Based Algorithms", IJCSNS International Journal of Computer Science and Network Security, VOL.10 No.4, April 2010 314.

43. [Margaret H. Dunham e S. Sridharz] "Data Mining Introductory and Advanced Topics" Dorling Kindersley (India) Pvt. Ltd., 2006.

44. [Lai, J.Z.C.[Jim Z.C.], Liaw, Y.C.[Yi-Ching], "Improvement of the k-means clustering filtering algorithm", PR(41),No.12, December2008.

45. [Hui Li, Sourav S. Bhowmick e Aixin Sun], "Affinità a cascata dei blog: Analisi e previsione" portal.acm.org/ft_gateway.

46. [Federico Ambrogi, Elena Raimondi, Daniele Soria, Patrizia Boracchi e Elia Biganzoli1] "Cancer profiles by Affinity Propagation University of Nottingham", School of Computer Science, Jubilee Campus, and Wollaton Road, Nottingham, NG8 1BB.

ELENCO DELLE CONFERENZE

1. S. Shylaja , S. Ranjitha Kumari, "A comparative Study on clustering techniques in Data mining" National Conference on Computer communication and informatics.
2. S. Shylaja , S. Ranjitha Kumari, "A survey on clustering technique in Data mining" Conferenza nazionale sulla sicurezza informatica.
3. S. Shylaja , S. Ranjitha Kumari, "A Comparative analysis of clustering algorithms applied on sample data set" National Conference on network, communication & computing.
4. S. Shylaja , S. Ranjitha Kumari, "A Comparison of various clustering algorithm for ZOO data set" (Confronto tra vari algoritmi di clustering per i dati di ZOO), conferenza internazionale sull'elaborazione di informazioni e immagini.

ELENCO DELLE PARTECIPAZIONI:

5. S. Shylaja ha partecipato al seminario nazionale sul processo di ricerca condotto dallo Sri Eshwar College of Engineering.
6. S. Shylaja ha partecipato al colloquio di ricerca organizzato dal gruppo di istituzioni Erode builder educational trust.
7. S. Shylaja ha partecipato a un work shop di due giorni a livello nazionale sullo strumento WEKA presso il Kongu Arts and Science College.

S.Shylaja è ora un M.Phil. borsista di ricerca presso il Rathnavel Subramaniam College of Arts and Science, affiliato alla Bharathiar University. Ha conseguito la laurea B.Sc (CS) presso l'Angappa College of Arts and Science. Malumichampatti, Coimbatore nel 2011, e ha completato il M.Sc (CS) presso il Government Arts and Science College, affiliato alla Bharathiar University. Coimbatore nel 2013. La sua specializzazione è Data Mining.

La signora S.Ranjitha kumari è professore assistente presso il Rathnavel Subramaniam College of Arts and Science, affiliato alla Bharathiyar University. Ha più di nove anni di esperienza di insegnamento. Le sue aree di interesse sono la sicurezza delle reti e l'apprendimento automatico. Ha prodotto con successo sei borsisti M.Phil e ha guidato tre borsisti della Bharathiar University.

INDICE DEI CONTENUTI

Milton Keynes UK
Ingram Content Group UK Ltd.
UKHW012224290324
440241UK00001B/84